De même auteur

La dimension cachée

Du même auteur

Au-delà de la culture
Éditions du Seuil, 1979

Edward T. Hall

La dimension cachée

Traduit de l'américain
par Amélie Petita
Postface de
Françoise Choay

Éditions du Seuil

En couverture : dessin de Folon.

ISBN 2-02-004776-4

Titre original : The Hidden Dimension.
© *1966, E.T. Hall.*
Edition originale : Doubleday & C° à New York, 1966.
© *1971, Editions du Seuil*
pour la traduction française.

Préface

Pour le lecteur sérieux, il existe aujourd'hui deux types de livres : les uns mettent l'accent sur le contenu et visent la communication d'un savoir particulier, les autres s'attachent aux structures, au mode d'organisation des faits. Il est peu probable qu'un auteur puisse délibérément opter pour l'une ou l'autre de ces catégories, mais il est souhaitable qu'il soit conscient de cette distinction. De même pour le lecteur, dont la satisfaction dépend en grande partie de motivations informulées. Dans ce monde qui nous submerge d'informations, on comprend aisément pourquoi il est possible de se sentir perdre pied à l'intérieur de son propre domaine. Mais il faut constater aussi le sentiment croissant d'une perte de contact globale avec le monde. D'où le besoin accru de structures de référence susceptibles de faciliter l'intégration de la masse d'informations toujours changeante que l'homme doit traiter. La recherche de structures de ce type est précisément l'objet de *la Dimension cachée*.

Dans la mesure où des ouvrages de ce genre se situent en marge des disciplines constituées, ils ne sont limités ni par une matière ni par un public. Peut-être cette absence

d'orientation spécifique décevra-t-elle les lecteurs qui cherchent des réponses toutes faites et souhaitent tout trouver
classé en termes de contenu et de discipline.

Ma formation d'anthropologue m'a habitué à rechercher
dans les infrastructures biologiques l'origine de tel ou tel
aspect du comportement humain. Cette approche met en
valeur le fait que l'homme, comme les autres membres du
règne animal, est, d'emblée, jusqu'au bout et irrévocablement
prisonnier de son organisme biologique. Le fossé qui le
sépare du monde animal n'est pas, à beaucoup près, aussi
profond qu'on le croit généralement. L'étude des animaux
et des mécanismes complexes d'adaptation apparus au cours
de l'évolution se révèle toujours plus fructueuse pour la
solution des énigmes posées par l'homme.

Nos deux livres, *The Silent Language* et la présente étude,
traitent de la structure de l'expérience dans son conditionnement par la culture. Nous nous attachons en fait à ce type
d'expérience profonde, générale, non verbalisée que tous
les membres d'une même culture partagent et se communiquent à leur insu, et qui constitue la toile de fond par
rapport à quoi tous les autres événements sont situés. Etudier la dimension culturelle sous l'aspect d'un vaste réseau
de communications à niveaux multiples serait pratiquement
sans objet s'il n'était justifié par deux faits : d'abord la
multiplication de nos contacts internationaux, ensuite, à
l'intérieur même de notre pays, le mélange progressif des
sous-cultures qui accompagne l'envahissement de nos cités
par les populations rurales.

Il apparaît de plus en plus clairement que les heurts entre
systèmes culturels ne sont pas limités aux rapports internationaux : ces conflits ont pris des proportions considérables à l'intérieur même des Etats-Unis et ils s'exaspèrent
au sein des villes surpeuplées. En effet, contrairement à ce
que l'on croit en général, les groupes ethniques très divers
qui constituent la population américaine ont fait preuve
d'une constance surprenante dans la conservation de leurs
particularismes. Si, au premier abord, ces groupes semblent
identiques et paraissent parler à peu près la même lan

gue, une analyse en profondeur révèle de nombreuses différences, implicites, informulées, dans leur structuration du
temps, de l'espace, des objets et des relations humaines.
Ce sont ces différences qui sont si souvent à l'origine des
contresens qui surgissent, en dépit des bonnes intentions
réciproques, dans les relations interculturelles.

Mes recherches sur la façon dont l'homme utilise l'espace
— l'espace qu'il maintient entre lui et les autres, et celui
qu'il construit autour de soi, à la maison ou au bureau —
sont destinées à attirer l'attention sur des processus à propos
desquels nous n'avons pas coutume de nous interroger. Par
là, nous espérons contribuer à développer le sens de l'identité personnelle aux dépens de l'aliénation et à valoriser
l'expérience. En un mot, nous souhaitons avancer un peu
dans la voie de l'autoconnaissance et contribuer ainsi aux
retrouvailles de l'homme avec lui-même.

Un livre ne s'écrit pas sans l'aide et la participation active
d'un grand nombre de personnes. Et l'auteur sait fort bien
que si son nom seul apparaît sur la couverture, l'œuvre
achevée n'en demeure pas moins le produit d'un travail
d'équipe. Et dans cette équipe certaines personnes jouent
un rôle clé sans le secours duquel le manuscrit ne verrait
jamais le jour. Ce sont elles que je désire remercier ici.

La nature de la communication veut qu'un énoncé en
cours d'élaboration ne puisse être qu'imparfaitement formulé par écrit et demeure, en partie et souvent pour
l'essentiel, caché dans l'esprit de l'auteur. Mais celui-ci n'en
est pas conscient car, en lisant son manuscrit, il en complète
automatiquement le sens. Un auteur a donc besoin au premier chef d'une personne attentive et patiente, capable
d'affronter son exaspération ou même son hostilité lorsqu'il
faudra lui montrer que son texte ne rend pas compte exactement de sa pensée ou de son savoir implicite. Ecrire, pour
moi, est un engagement total.

Quand j'écris, tout le reste cesse d'exister : lourd fardeau
pour les autres. Tout d'abord et comme d'habitude, c'est
Mildred Reed Hall, ma femme, que je dois remercier ; elle
est intimement associée à mon travail et elle m'a tant aidé

dans mes recherches qu'il est souvent malaisé de dissocier son apport du mien.

Mes recherches ont reçu l'appui généreux du *National Institute of Mental Health.* La *Wenner-Gren Foundation for Anthropological Research* et le *Human Ecology Fund* ont fourni l'aide et les subsides nécessaires aux voyages sur le terrain et ont contribué aux frais considérables de la publication.

Je voudrais mentionner tout spécialement la *Washington School of Psychiatry,* son comité directeur ainsi que les professeurs et le personnel attachés à cette admirable institution. Attaché de recherche à cette école pendant de longues années, j'ai contracté une dette intellectuelle considérable à son égard. La *Washington School* a subventionné mes recherches et les a stimulées par son amicale atmosphère de travail.

J'ai été aidé dans la préparation matérielle de ce livre par les personnes suivantes : Roma McNickle, de Boulder, Colorado, Richard Winslow et Andrea Balchan des éditions Doubleday, ainsi que ma femme Mildred Reed Hall. Sans leur concours, ce livre n'aurait pu être publié. J'ai aussi bénéficié de l'aide précieuse et fidèle de Gudren Huden et de Judith Yonkers qui ont réalisé les dessins. J'ai une dette très particulière à l'égard de mon ami Buckminster Fuller. Si nos travaux diffèrent par leurs sujets, il n'en a pas moins été pour moi une source constante d'intuitions et, grâce à notre affinité intellectuelle, un maître pour l'approche globale des problèmes. Je voudrais mentionner aussi Moukhtar Ani, Waren Brodey et Frank Rice, trois amis et collègues qui m'ont particulièrement aidé dans ma réflexion tout en m'apportant un appui moral.

Pour les autorisations de citations, je remercie également : les éditions Atheneum pour *The Making of the President 1960* de Theodore H. White ; les éditions Harcourt, Brace & World pour *Pilote de guerre* et *Vol de nuit* d'Antoine de Saint-Exupéry ; les éditions Harper & Row pour *Captain Stormfield's Visit to Heaven* de Mark Twain ; les éditions Holt, Rinehart & Winston, Inc. pour *The Painter's Eye* de Maurice

Grosser ; les éditions Houghton Mifflin pour *The Perception of the Visual World* de James J. Gibson ; les éditions Alfred A. Knopf, Inc. pour *le Procès* de Franz Kafka et l'Unesco pour *Snow Country* de Yasunari Kawabata (Series of Contemporary Works — série japonaise), traduit par Edward G. Seidensticker ; la revue *Language* pour *The Status of Linguistics as a Science* d'Edward Sapir ; le Massachusetts Institute of Technology pour *Science and Linguistics* de Benjamin Lee Whorf ; the Technology Press et les éditions John Wiley and Sons pour *Language, Thought and Reality* de Benjamin Lee Whorf ; la University of Toronto Press pour *Eskimo* d'Edmund Carpenter ; et la Yale University Press pour *The Hare and the Haruspex : A Cautionary Tale* d'Edward S. Deevey paru dans *The Yale Review*.

Une partie du chapitre x a déjà paru dans un article intitulé *Silent Assumptions in Social Communications*, publié dans les Annales de l'Association for Research in Nervous and Mental Disease et dont cette association nous a aimablement permis de faire usage.

1

Culture et communication

Ce livre a pour thème central l'espace social et personnel et sa perception par l'homme. Le terme de « proxémie » est un néologisme que j'ai créé pour désigner l'ensemble des observations et théories concernant l'usage que l'homme fait de l'espace en tant que produit culturel spécifique.

Je ne suis pas le premier à m'être penché sur ce problème. Il y a plus de cinquante ans, Franz Boas présentait la théorie que je soutiens ici et selon laquelle la communication constitue le fondement de la culture, davantage, celui de la vie même. Durant les vingt années suivantes, Boas et deux autres anthropologues, Edward Sapir et Leonard Bloomfield, tous trois appartenant au groupe phonique indo-européen, eurent à affronter dans leurs recherches les langues radicalement différentes des Indiens d'Amérique et des Esquimaux. La différence fondamentale qui opposait les deux systèmes linguistiques provoqua une révolution dans la théorie du langage. Jusque-là, les savants européens considéraient les langues indo-européennes comme les modèles de *toutes* les langues. Boas et ses disciples s'aperçurent au contraire que chaque famille de langue comporte ses lois propres et cons-

titue un système clos dont le linguiste doit découvrir et
décrire les structures. Le linguiste devait donc soigneusement se garder de projeter les règles implicites de sa propre
langue sur la langue étudiée.

Au cours des années 1930, Benjamin Lee Whorf, chimiste
et ingénieur de profession, mais aussi linguiste amateur,
commença à travailler avec Sapir. Ses recherches sur les
Indiens Hopi et Shawnee l'amenèrent à publier des articles
aux implications révolutionnaires pour la théorie des rapports du langage avec la pensée et la perception. Pour lui,
le langage est beaucoup plus qu'un simple moyen d'expression de la pensée ; il constitue en fait *un élément majeur
dans la formation de la pensée.* En outre, et pour employer
une image d'aujourd'hui, la perception même que l'homme
a du monde environnant est programmée par la langue qu'il
parle, exactement comme par un ordinateur. Comme celui-ci,
l'esprit de l'homme enregistre et structure la réalité extérieure en accord strict avec le programme. Deux langues
différentes étant souvent susceptibles de programmer le
même groupe de faits de manière tout à fait différente,
aucune croyance ni aucun système philosophique ne sau-
raient dès lors être envisagés sans référence à la langue.

C'est seulement au cours des dernières années et dans un
cercle très restreint que sont apparues les implications de
la pensée de Whorf. Difficiles à saisir au premier abord,
elles se révélèrent assez inquiétantes à l'examen attentif.
Elles mettent, en effet, en question les fondements de la
doctrine du « libre arbitre » dans la mesure où elles sup-
posent les hommes prisonniers de leurs langues respectives
aussi longtemps qu'ils leur accordent une valeur absolue.

Notre thèse dans ce livre et celui qui l'a précédé *(The
Silent Language)* est que les principes établis par Whorf et
ses collègues à propos du langage valent également pour le
reste des conduites humaines, et, en fait, pour tout phénomène de culture. On a cru longtemps que l'expérience est
le bien commun des hommes et qu'il est toujours possible
pour communiquer avec un autre être humain de se passer

de la langue et de la culture et de se référer à la seule expérience. Cette croyance implicite (et souvent explicite), concernant les rapports de l'homme avec l'expérience, suppose que, si deux êtres humains sont soumis à la même « expérience », des informations virtuellement identiques sont fournies à chaque système nerveux central et que chaque cerveau les enregistre de la même manière.

Or les recherches proxémiques jettent des doutes sérieux sur la validité de cette hypothèse, en particulier dans le cas de cultures différentes. Nous verrons dans les chapitres x et xi que des individus appartenant à des cultures différentes non seulement parlent des langues différentes mais, ce qui est sans doute plus important, *habitent des mondes sensoriels différents*.

La sélection des données sensorielles consistant à admettre certains éléments tout en en éliminant d'autres, l'expérience sera perçue de façon très différente selon la différence de structure du crible perceptif d'une culture à l'autre. Les environnements architecturaux et urbains créés par l'homme sont l'expression de ce processus de filtrage culturel. En fait, ces environnements créés par l'homme nous permettent de découvrir comment les différents peuples font usage de leurs sens. L'expérience ne peut donc être considérée comme un point de référence stable, puisqu'elle s'insère dans un cadre déjà façonné par l'homme.

Le rôle de l'appareil sensoriel dans ce contexte sera décrit dans les chapitres iv, v, vi et vii. Ils ont pour objet de fournir au lecteur quelques données de base touchant l'appareil dont l'homme se sert pour construire son monde perceptif. Cette approche de l'appareil sensoriel correspond aux descriptions que l'on pourrait faire de l'appareil vocal pour éclairer le processus de la parole.

L'analyse de la façon, dont les différents peuples se servent de leurs sens dans leurs interférences avec l'environnement vivant aussi bien qu'inanimé, livre des données concrètes sur leurs différences. On peut, par exemple, prendre le cas des Américains et des Arabes. A la source même de ces interférences, il devient possible de détecter des variations significatives concernant les éléments effectivement retenus ou éliminés dans chacun des cas.

Mes travaux des cinq dernières années démontrent qu'Américains et Arabes vivent la plupart du temps dans des mondes sensoriels différents et qu'ils ne font pas appel aux mêmes sens, ne serait-ce que pour établir la plupart des distances observées à l'égard de l'interlocuteur au cours d'une conversation. Comme nous le verrons, les Arabes utilisent davantage l'olfaction et le toucher que les Américains. Ils interprètent et combinent différemment leurs données sensorielles. Même l'expérience que l'Arabe a de son corps par rapport à son Moi est différente de la nôtre. Les Américaines qui ont épousé des Arabes aux Etats-Unis, ne connaissant alors que leur côté « américain cultivé », ont souvent remarqué que leurs maris assument une autre personnalité quand ils retournent dans leur pays d'origine. Là, plongés à nouveau dans le système de communication arabe, ils se trouvent prisonniers du mode de perception arabe et, dans tous les sens du terme, deviennent des êtres différents.

S'il est vrai que les systèmes culturels peuvent faire varier du tout au tout la structure du comportement, ils n'en sont pas moins profondément enracinés dans le biologique et le physiologique. L'homme est un organisme doté d'un extraordinaire et merveilleux passé. Il se distingue de tous les autres animaux par le fait qu'il a réussi à créer ce que j'appellerai des *prolongements* de son organisme. Leur développement lui a permis d'améliorer et de spécialiser diverses fonctions. L'ordinateur est un prolongement d'une partie du cerveau, comme le téléphone un prolongement de la voix et la roue un prolongement des jambes et des pieds. Le langage prolonge l'expérience dans le temps et dans l'espace, tandis que l'écriture prolonge le langage humain. L'homme a porté ces prolongements à un tel niveau d'élaboration que nous finissons par oublier que son humanité est enracinée dans sa nature animale. L'anthropologue Weston La Barre a fait remarquer que l'homme a transféré son évolution de son corps à ces prolongements, accélérant ainsi prodigieusement le processus évolutif.

S'il en est ainsi, l'observation, la transcription et l'analyse des systèmes proxémiques des cultures modernes doivent tenir compte des systèmes de comportement sur lesquels ils se fondent, représentés par les formes de vie primitive dont ils sont issus. Dans les chapitres II et III, qui traitent du comportement des animaux à l'égard de l'espace, on trouvera les éléments nécessaires à l'analyse ultérieure des comportements humains plus complexes. Ces considérations suivent de très près les grands progrès accomplis récemment par l'« éthologie », discipline qui étudie le comportement animal et les rapports des organismes vivants avec leur environnement.

A la lumière de ces acquisitions, il pourrait bien à la longue se révéler fructueux de considérer l'homme comme un organisme qui a créé ses prolongements et les a portés à un tel niveau de spécialisation qu'ils ont pris la succession de la nature et se substituent rapidement à elle. En d'autres termes, l'homme est le créateur d'une dimension nouvelle, la dimension culturelle, dont la proxémie ne livre qu'un élément. Le rapport qui lie l'homme à la dimension culturelle se caractérise par *un façonnement réciproque*. L'homme est maintenant en mesure de construire de toutes pièces la totalité du monde où il vit : ce que les biologistes appellent son « biotope ». En créant ce monde, il détermine en fait *l'organisme* qu'il sera. Perspective inquiétante à la lumière de notre misérable savoir de l'homme. Perspective selon laquelle nos villes dans leurs taudis, leurs hôpitaux psychiatriques, leurs prisons et leurs banlieues sont en train de créer des types d'individus profondément différents. Ce réseau complexe d'interactions entre l'homme et son environnement rend le problème de la rénovation urbaine et de l'intégration des minorités dans la culture dominante beaucoup plus ardu qu'on ne le croit généralement. De même, notre méconnaissance relative du rapport des peuples *avec* leur biotope affecte les processus de développement technique des pays dits sous-développés.

Que se passe-t-il lorsque des individus appartenant à des cultures différentes se rencontrent et entrent en rapport ?

Dans *The Silent Language*, nous suggérions que la communication s'établit simultanément à différents niveaux, allant du pleinement conscient à l'inconscient. Mais il m'a récemment fallu approfondir cette théorie ; en effet, quand des individus communiquent, ils font bien davantage que « se renvoyer la balle ». Mes propres travaux comme ceux des autres chercheurs ont mis au jour une série de servomécanismes dont le montage délicat est contrôlé par des facteurs culturels et qui régulent les différents processus de l'existence, à la manière d'un dispositif de pilotage automatique dans un avion.

Nous sommes tous sensibles aux changements subtils qui peuvent survenir dans l'attitude de notre interlocuteur quand il réagit à nos paroles ou nos actes. Dans la plupart des cas, nous évitons de façon d'abord inconsciente, puis consciente, de laisser ce que j'appelle la partie prémonitoire ou crépusculaire d'une communication passer des signes à peine perceptibles de la contrariété à ceux de l'hostilité déclarée. Dans le monde animal, on assiste souvent à de sauvages batailles lorsque cette phase prémonitoire des rapports se trouve court-circuitée ou négligée. Chez les hommes, bien des rapports difficiles entre cultures et pays différents peuvent être imputés à l'incapacité d'interpréter correctement les éléments prémonitoires : quand la situation réelle est enfin comprise, il est trop tard pour faire machine arrière.

Les chapitres qui suivent contiennent de nombreux exemples d'échecs de la communication dus essentiellement au fait que les parties en présence n'avaient pas conscience d'habiter des mondes perceptifs différents. De fait, interpréter les paroles de l'autre dans un contexte qui leur est étranger voue souvent à l'échec de réels efforts d'ouverture et de sympathie.

Certes, des éthologues comme Konrad Lorenz en sont venus à penser que l'agressivité fait partie intégrante de la vie. Sans elle, la vie telle que nous la connaissons ne serait sans doute pas possible. Normalement, l'agressivité permet aux animaux de maintenir entre eux l'espacement qui leur évite de se multiplier au point d'entraîner la destruction du milieu et, par là même, de l'espèce. Dans les cas de sur-population consécutifs aux poussées démographiques intenses, la promiscuité augmente, entraînant une tension croissante. Un *stress*[1] psychologique et affectif s'établit, un état d'irritabilité s'installe, en même temps qu'on assiste à des modifications subtiles mais profondes dans la chimie de l'organisme. Le taux des naissances diminue alors que le taux de mortalité augmente progressivement jusqu'au stade dit d'effondrement de la population. Ces cycles d'essor et d'effondrement apparaissent aujourd'hui comme un processus normal chez les vertébrés à sang chaud et peut-être chez tous les êtres vivants. Contrairement aux idées reçues, le facteur alimentaire n'est qu'indirectement impliqué dans ces cycles, comme l'ont démontré les travaux de John Christian et de V.C. Wynne-Edwards.

Au cours de son développement culturel, l'homme s'est domestiqué lui-même, créant ainsi une série de mondes nouveaux, tous différents les uns des autres. Chacun de ces mondes possède son système spécifique d'entrées sensorielles, d'où la relativité de la notion de foule ou de surpopulation d'une culture à l'autre. De même, une action qui libère l'agressivité et s'avère donc « stressante » chez un peuple donné sera perçue comme neutre par le voisin. Quoi qu'il en soit, la multitude des Noirs américains et les populations de culture espagnole qui affluent dans nos villes y sont profondément « stressés ». Car non seulement ils doivent vivre dans un environnement qui ne leur est pas adapté, mais dans des conditions où ils ne peuvent plus résister au *stress*. Les Etats-Unis doivent bien admettre aujourd'hui que deux de leurs groupes ethniques les plus doués

1. Le mot *stress*, qui signifie en anglais courant « force, contrainte, effort », appartient également, depuis les travaux de Hans Selye, au vocabulaire international de la physiologie. Il désigne alors (indifféremment) l'agression subie par l'organisme et la réponse de celui-ci. Dans tout ce qui suit, nous avons donc conservé ce terme qui appartient désormais à la langue scientifique, et dont le français n'a pas d'équivalent, et nous avons même risqué les néologismes « stressé » et « stressant » *(N.d.T.)*.

sont en voie d'être détruits et pourraient bien nous entraîner tous dans leur effondrement. C'est pourquoi il faut faire comprendre aux architectes, aux urbanistes et à tous les constructeurs que les Etats-Unis n'éviteront la catastrophe qu'à condition de considérer l'homme comme l'interlocuteur de son environnement. Environnement que les urbanistes, les architectes et les constructeurs façonnent aujourd'hui sans guère se soucier des besoins proxémiques de l'homme.

A tous les producteurs du revenu national, à tous ceux d'entre nous qui par leurs impôts alimentent les caisses du gouvernement, j'affirme que quel que soit le prix de la reconstruction de nos villes, ce prix devra être payé si l'Amérique veut survivre. Mais surtout la reconstruction de nos villes devra se fonder sur l'intelligence des besoins réels de l'homme et sur la connaissance des nombreux mondes sensoriels propres aux différents groupes ethniques qui peuplent les villes américaines.

Les chapitres qui suivent voudraient apporter un message fondamental sur l'homme et ses rapports avec son milieu : nous avons un besoin urgent de réviser et d'élargir notre conception de la condition humaine, de témoigner de plus d'ouverture et de réalisme dans notre vision des autres comme dans celle de nous-mêmes. Nous devons apprendre à déchiffrer les messages « silencieux » aussi facilement que les communications écrites ou parlées. C'est seulement par un effort de cette nature que nous pourrons espérer entrer en communication avec les autres ethnies (à l'intérieur comme à l'extérieur de nos frontières), ainsi que nous sommes de plus en plus souvent requis de le faire.

2
Régulation de la distance chez les animaux

Les études comparatives entreprises sur l'animal permettent de montrer comment les besoins de l'homme en espace varient en fonction de son environnement. Chez les animaux comme jamais chez les hommes, nous pouvons observer l'orientation, la fréquence et l'importance des changements entraînés dans leur comportement par les changements affectant l'espace dont ils disposent. D'une part, l'utilisation des animaux permet de diminuer le temps d'analyse, les générations animales étant relativement courtes : en quarante ans, un savant peut observer quatre cents générations de souris mais seulement deux générations humaines. D'autre part, il est évident que l'animal permet à l'observateur un autre détachement que l'homme.

De plus, les animaux ne compliquent pas l'observation en rationalisant leur comportement. Dans des conditions normales ils réagissent avec une telle constance qu'il est possible d'observer la répétition de conduites virtuellement identiques. En limitant nos observations aux animaux et à leur usage de l'espace, nous pouvons découvrir un grand nombre de données transposables en termes humains.

La territorialité est un concept de base dans l'étude du comportement animal : on la définit généralement comme la conduite caractéristique adoptée par un organisme pour prendre possession d'un territoire et le défendre contre les membres de sa propre espèce. Concept récent, il apparut pour la première fois sous une forme assez élaborée dans le livre *Territory in Bird Life* publié en 1920 par l'ornithologue anglais H.E. Howard. Il faut observer toutefois que, dès le XVIIe siècle, des naturalistes avaient noté diverses manifestations que Howard considère comme des expressions de la territorialité.

Les travaux sur la territorialité mettent déjà en question beaucoup de nos idées de base relatives et à la vie animale et à la vie humaine. Ainsi, l'expression « libre comme l'oiseau » exprime lapidairement la conception que l'homme se fait de ses propres rapports avec la nature. Il imagine les animaux libres d'errer à travers le monde alors qu'il est, lui, prisonnier de la société. Les travaux sur la territorialité montrent que l'inverse est plus près de la vérité et que les animaux sont souvent emprisonnés à l'intérieur de leur propre territoire. On peut se demander si, possédant nos connaissances actuelles sur le rapport des animaux avec l'espace, Freud eût encore pu attribuer le progrès humain à une énergie captive réorientée par des inhibitions culturelles.

Beaucoup de fonctions importantes s'expriment dans la territorialité et on en découvre chaque jour de nouvelles. H. Hediger, le célèbre spécialiste zurichois de la psychologie animale, a décrit les principaux aspects de la territorialité et en a succinctement expliqué les mécanismes. Selon lui, la territorialité assure la propagation de l'espèce, en permettant la régulation de la densité démographique. Elle fournit un cadre à l'activité, offrant des terrains d'apprentissage et de jeux, des lieux où se cacher en sécurité. Elle coordonne ainsi les activités du groupe et assure sa cohésion. Grâce à elle, les animaux d'un même groupe conservent une distance qui leur permet de communiquer et de se signaler la présence de la nourriture ou de l'ennemi. Un animal qui possède son territoire a la possibilité d'élaborer tout un répertoire de réflexes en réponse à la nature de son terrain. En cas de danger, l'animal sur son terrain familier profitera de ces réactions automatiques, au lieu de perdre du temps à trouver une cachette. Le psychologue C.R. Carpenter qui fut l'un des premiers à observer les singes dans leur milieu naturel a énuméré trente-deux fonctions de la territorialité, parmi lesquelles certaines ont une importance majeure pour la protection et l'évolution des espèces animales. La liste que nous en donnerons ici n'est pas complète, elle ne vaut pas non plus pour toutes les espèces ; elle traduit néanmoins l'importance cruciale de la territorialité en tant que système de comportement : *système qui a évolué de façon très semblable à celle des systèmes anatomiques.* En fait, les différences de territorialité sont si bien reconnues aujourd'hui qu'elles servent à identifier les espèces, au même titre que les caractères anatomiques.

La territorialité protège les animaux forts des prédateurs en même temps qu'elle expose à la prédation les animaux inadaptés, trop faibles pour établir et défendre un territoire. Ainsi, elle renforce la domination des plus aptes assurée par la sélection naturelle, dans la mesure où les animaux moins aptes ont des chances moindres de s'approprier un territoire. Par ailleurs, la territorialité facilite la reproduction en fournissant à l'animal un lieu de séjour protégé. Elle contribue à la sécurité des nids et des petits qui s'y développent. Chez certaines espèces, la territorialité règle l'élimination des déchets et empêche la présence des parasites. Cependant, l'une des fonctions les plus importantes de la territorialité consiste à maintenir l'espacement spécifique qui empêche l'exploitation excessive du territoire dont dépend une espèce.

La territorialité n'intervient pas seulement dans la préservation de l'espèce et de l'environnement, mais dans les fonctions personnelles et sociales. En cherchant à évaluer les rôles relatifs de la vigueur sexuelle et la dominance à l'intérieur d'un contexte territorial, C.R. Carpenter a découvert que, sur son propre territoire, même un pigeon castré triomphait régulièrement d'un mâle normal, bien que la castration ait pour effet habituel une déchéance dans la hiérarchie sociale. Si donc les animaux forts déterminent la direction générale du développement d'une espèce, la possibilité offerte aux sujets plus faibles de l'emporter (et donc de se reproduire), sur leur propre territoire, contribue à maintenir la plasticité d'une espèce dont elle augmente la variété, empêchant les éléments forts de fixer une fois pour toutes la direction de l'évolution.

La territorialité est également en rapport avec le statut social. Au cours d'une série d'expériences sur les mésanges, l'ornithologue anglais A.D. Bain est parvenu à modifier (et même à inverser) les relations de dominance. Il lui suffisait de déplacer la position des réserves à grain en fonction des oiseaux vivant dans les terres avoisinantes. A mesure que la réserve se rapprochait de son territoire, l'oiseau acquérait des possibilités qui lui faisaient défaut lorsqu'il était éloigné de son domaine.

La territorialité existe aussi chez l'homme qui a inventé bien des manières de défendre ce qu'il appelle sa terre, son sol ou son espace. Enlever les bornes comme entrer dans la propriété d'autrui sont, dans l'ensemble du monde occidental, des actes punis par la loi. Depuis des siècles, le droit coutumier anglais considère que la demeure d'un homme est « son château » et la garantit contre toute saisie ou perquisition illégale, même de la part d'agents du gouvernement. Il existe une différence bien établie entre la propriété dite privée (qui est le territoire d'un individu) et la propriété publique (qui est le territoire d'un groupe).

Ce rapide examen des fonctions de la territorialité devrait suffire à prouver qu'il s'agit là d'un système de comportement fondamental propre à tous les organismes vivants, y compris l'homme.

En plus de son territoire inscrit dans un coin de terre bien délimité, chaque animal est entouré d'une série de « bulles » ou de « ballons » aux formes irrégulières, qui servent à maintenir un espacement spécifique entre individus. Hediger a découvert et décrit un certain nombre de ces distances que la plupart des animaux semblent utiliser sous une forme ou une autre. Deux d'entre elles par exemple — la distance de fuite et la distance critique — entrent en jeu lors des rencontres entre individus d'*espèces différentes*, tandis que les distances personnelle et sociale correspondent aux relations entre membres d'une même espèce.

Distance de fuite.

Tout observateur attentif a pu remarquer qu'un animal sauvage ne laisse approcher aucun homme ou autre ennemi virtuel au-delà d'une distance donnée, à partir de laquelle il prend la fuite. Hediger appelle « distance de fuite » cet automatisme d'espacement entre les espèces. D'une manière générale, la « distance de fuite » est proportionnelle à la taille de l'animal — plus l'animal est gros et plus grande est la distance qu'il doit maintenir entre lui-même et son ennemi. Une antilope s'enfuit déjà lorsque l'intrus se trouve à cinq cents mètres. En revanche, la distance de fuite d'un lézard n'est que de deux mètres. Pour se défendre contre leurs ennemis, les animaux disposent bien entendu d'autres moyens : mimétisme, carapace, épines protectrices ou odeurs agressives. C'est pourtant la fuite qui semble être le mécanisme fondamental de survivance chez les animaux doués de mobilité. Pour domestiquer les autres animaux, il a fallu que l'homme supprime ou réduise considérablement leur réaction de fuite. Dans les jardins zoologiques, il est indispensable de réduire suffisamment la réaction de fuite pour que l'animal captif puisse se déplacer, dormir et manger, sans que la présence humaine provoque chez lui un effet de panique.

Bien que l'homme se soit domestiqué lui-même, cette domestication n'est que partielle. On le constate chez certains types de schizophrènes qui semblent éprouver des réactions très semblables à la réaction de fuite. Quand on approche trop près d'eux, ils sont pris de panique comme les animaux enfermés depuis peu dans un zoo. Et ils décrivent tout ce qui advient à l'intérieur des limites de leur « distance de fuite » comme ayant lieu littéralement *à l'intérieur d'eux-mêmes*. Pour eux, les frontières du Moi s'étendent au-delà du corps. Ces observations rapportées par les thérapeutes indiquent que la constitution du Moi est intimement liée à la possibilité d'utiliser explicitement des limites matérielles. Ce même rapport spécifique entre les limites matérielles et le Moi peut être repéré au cours des interférences culturelles, comme nous le verrons au chapitre xi.

Distance critique.

On peut, semble-t-il, parler de distances ou de zones critiques dans tous les cas où se produit une réaction de fuite. La « distance critique » couvre la zone étroite qui sépare la « distance de fuite » de la « distance d'attaque ». Dans un zoo, le lion fuira devant un homme qui se dirige vers lui jusqu'à ce qu'il rencontre un obstacle insurmontable. Si l'homme avance encore et pénètre dans la zone critique du lion, alors l'animal acculé change de direction et commence lentement à marcher sur l'homme.

Dans le numéro de cirque classique, le lion est, en fait, déterminé à l'attaque et prêt à franchir l'obstacle, par exemple l'escalier qui le sépare de l'homme. Pour que le lion reste sur l'escalier, le dompteur sort rapidement de la zone critique. Le lion cesse alors sa poursuite. Les moyens de « protection » spectaculaires dont s'entoure le dompteur — la chaise, le fouet ou le pistolet — ne sont destinés qu'à impressionner le public. Hediger dit que la distance critique des animaux qu'il a étudiés est si précise qu'on peut la mesurer en centimètres.

Contact et non-contact chez les espèces animales.

Dans son rapport à l'espace, le monde animal témoigne d'une dichotomie absolue et assez inexplicable. Alors que dans certaines espèces, les animaux éprouvent la nécessité de l'entassement et du contact physique, dans d'autres, au contraire, ils évitent tout contact. Aucune logique ne semble en apparence déterminer la catégorie où se range une espèce. Parmi les animaux « à contact », on trouve le morse, l'hippopotame, le porc, la chauve-souris brune, le perroquet et le hérisson, entre bien d'autres. En revanche, le cheval, le chien, le chat, le rat, le rat musqué, le faucon et la mouette sont des espèces « sans contact ». Il est curieux de constater que des animaux très proches n'appartiennent pas nécessairement à la même catégorie. Le grand pingouin empereur appartient au groupe « à contact » : il conserve sa chaleur en se blottissant contre ses congénères et résiste ainsi plus facilement au froid. On le trouve dans la plupart des régions de l'Antarctique. Au contraire, les petits pingouins de la Terre Adélie appartiennent à la catégorie « sans contact ». De ce fait, ils s'adaptent sensiblement moins bien que le grand pingouin empereur et leur extension est plus limitée.

Ces conduites de contact remplissent sans doute d'autres fonctions encore inconnues. On peut penser que dans la mesure où les animaux « à contact » entretiennent des rapports plus étroits, leur organisation sociale comme peut-être aussi leur manière d'exploiter l'environnement diffèrent de celles des animaux « sans contact ». On peut penser que ces derniers sont plus sensibles aux *stress* résultant de l'entassement. Il est certain que pour tous les animaux à sang chaud, la vie débute par une phase de contact. Mais, pour les nombreuses espèces « sans contact », cette phase est seulement temporaire, puisque les jeunes l'abandonnent en quittant leurs parents et en devenant indépendants. C'est à ce stade du cycle vital que l'espacement spécifique fait également son apparition chez les espèces des deux catégories.

Distance personnelle.

Hediger appelle distance personnelle la distance normale observée entre eux par les membres d'une espèce sans contact. Cette distance joue le rôle d'une bulle invisible qui entoure l'organisme. Deux animaux, chacun entouré de sa bulle, changent d'attitude lorsque leurs bulles viennent à se chevaucher. L'organisation sociale influe également sur la constitution de la distance personnelle. Les animaux dominants ont généralement une distance personnelle plus grande que ceux qui occupent des positions inférieures dans la hiérarchie sociale et ces derniers tendent à céder la place aux plus forts. Glen McBride, spécialiste australien de l'économie animale, a fait des observations détaillées sur le rapport entre l'espacement et la dominance chez les gallinacés ; sa théorie sur « l'organisation sociale et le comportement » s'appuie principalement sur l'usage de l'espace. Pour lui, la corrélation entre la distance personnelle et le statut social de nombreux mammifères se retrouve sous une forme ou une autre chez tous les vertébrés. On l'a vérifié pour des oiseaux et de nombreux mammifères, parmi lesquels la colonie de singes terrestres de l'ancien continent qui se trouve à l'*Institut japonais d'études sur les singes*, près de Nagoya.

L'agressivité est une composante essentielle du comportement chez les vertébrés. Un animal fort et agressif peut, en effet, éliminer ses rivaux plus faibles. Un rapport semble aussi exister entre l'agressivité et la parade : les animaux les plus agressifs sont également les plus portés à la parade. En ce sens, les conduites de parade et d'agressivité sont elles aussi au service de la sélection naturelle. Toutefois, pour pouvoir assurer la survivance de l'espèce, l'agressivité doit être régulée. Régulation qui peut être assurée, soit par la hiérarchisation sociale, soit par l'espacement. De l'avis des éthologues, l'espacement semble être la plus primitive des deux méthodes, non seulement parce qu'elle est la plus simple, mais parce qu'elle est la moins souple.

Distance sociale.

Les animaux qui vivent en société doivent rester en contact les uns avec les autres. La perte de contact avec le groupe peut leur être fatale pour diverses raisons, surtout parce qu'elle les expose aux attaques des prédateurs. La distance sociale n'est pas seulement la distance au-delà de laquelle l'animal perd le contact avec son groupe — qu'il ne peut plus voir, entendre ni sentir —, c'est surtout une distance psychologique au-delà de laquelle l'anxiété commence à se développer chez l'animal. On peut l'assimiler à un cercle invisible dont les limites *enserreraient* le groupe.

La distance sociale varie avec les espèces : elle est très courte — quelques mètres seulement — chez les flamants par exemple, considérable chez d'autres oiseaux. L'ornithologue américain E. Thomas Gilliard décrit la façon dont les clans d'oscins mâles d'Australie conservent le contact à des centaines de mètres de distance, grâce à de puissants sifflements et à l'émission de notes grinçantes et rauques.

La distance sociale n'est pas fixée avec rigidité, mais elle est en partie déterminée par la situation. Ainsi, pendant la période où les petits des singes et des hommes savent déjà se déplacer, mais pas encore obéir à la voix de leur mère, c'est la portée du bras maternel qui déterminera la distance sociale. On l'observe facilement au zoo chez les babouins. Lorsque le petit dépasse une certaine distance, la mère tend le bras pour l'attraper par le bout de la queue et le ramener à elle. Lorsqu'un danger rend nécessaire un contrôle plus étroit, la distance sociale diminue. Pour trouver un comportement analogue chez l'homme, il suffit d'observer une famille, comprenant beaucoup de jeunes enfants, lorsqu'elle traverse un carrefour dangereux, en se tenant la main.

Le téléphone, la télévision et les émetteurs portatifs ont allongé la distance sociale de l'homme, permettant d'intégrer les activités de groupes très éloignés. L'extension de la distance sociale transforme aujourd'hui la structure des institutions sociales et politiques selon des modalités que l'on commence seulement à étudier.

Dans les eaux froides de la mer du Nord, vit une variété de crabe appelée *Hyas araneus*. Cette espèce est caractérisée par le fait qu'à certaines époques de son cycle l'individu devient la proie de ses congénères ; c'est ainsi qu'est assurée la limitation de la population. Certains membres de la communauté sont sacrifiés périodiquement, lors de la mue, au moment où leur seule protection réside dans la distance qui les sépare des crabes encore en phase de carapace dure. Dès qu'un crabe à carapace dure se trouve assez près d'un crabe à carapace molle pour pouvoir le détecter, c'est-à-dire dès que la frontière olfactive est franchie, le prédateur se dirige sans hésiter vers son prochain repas.

L'*Hyas araneus* offre un double exemple de « distance critique » et de « situation critique », concepts employés pour la première fois par Wilhelm Schäfer, directeur du Musée d'histoire naturelle de Francfort. Dans ses recherches sur les processus fondamentaux de la vie, Schäfer fut l'un des premiers à étudier la façon dont les organismes utilisent l'espace. En 1956, dans une étude totalement originale, il signalait, le premier, l'existence de crises de survie. Il montrait que les sociétés animales se développent jusqu'au moment où elles atteignent une densité critique provoquant un état de crise dont la solution est leur condition de survie. L'apport de Schäfer a consisté à classer ces crises de survie et à découvrir une structure derrière la diversité des moyens élaborés par les organismes élémentaires, pour faire face au surpeuplement qui provoque ces crises. Schäfer a également analysé le mécanisme qui lie le contrôle de la population à la solution d'autres problèmes vitaux. Comme nous l'avons vu, tous les animaux ont besoin d'un minimum d'espace, sans lequel la survie est impossible : cet espace est l'espace critique. Lorsqu'une population s'est développée au point d'entraîner la suppression de l'espace critique, il se crée « une situation critique ». Le moyen le plus simple d'en venir à bout consiste alors à éliminer un certain nombre d'individus : solution qui peut être obtenue par des moyens divers, dont celui qu'emploie l'*Hyas araneus*.

Les crabes sont des animaux solitaires. Dans les périodes où il leur faut détecter des partenaires sexuels pour la reproduction, ils font appel à leur odorat. Il est nécessaire pour la survie de l'espèce que les individus ne s'aventurent pas à des distances où ils ne parviendraient plus à sentir l'odeur de leurs congénères. Mais l'espace critique des crabes est lui aussi bien défini. Et s'il vient à manquer, les crabes à carapace molle sont alors mangés de façon à ramener la population à un étiage compatible avec ses exigences d'espace.

LE CYCLE REPRODUCTIF DE L'ÉPINOCHE

A quelques crans au-dessus du crabe dans l'échelle évolutive, l'épinoche est un petit poisson, commun dans les rivières peu profondes d'Europe. Il doit sa célébrité à la complexité de son cycle reproductif, découvert par l'éthologue hollandais Niko Tinbergen. Celui-ci a également montré que tout court-circuitage de ce cycle entraînait une baisse de la population.

Au printemps, le mâle de l'épinoche se taille un territoire circulaire, qu'il défend contre tous les intrus, et il y construit un nid. C'est alors que vire sa terne coloration grise. Son ventre devient rouge vif, son dos blanc bleuté et ses yeux bleus. Ce changement de couleur sert à attirer les femelles et à repousser les mâles.

Lorsqu'une femelle, le ventre gonflé d'œufs, arrive au voisinage du nid du mâle, celui-ci se dirige vers elle en zigzaguant, et en lui offrant alternativement sa face et son profil colorés. Il doit répéter plusieurs fois cette cérémonie à deux temps avant que la femelle se décide à le suivre dans le nid. Quittant alors le mode de communication visuelle pour la forme plus fondamentale du toucher, le mâle force la femelle à pondre ses œufs en la frappant à la base de l'épine dorsale à coups de nez rythmés. Le mâle entre alors dans le nid, fertilise les œufs et chasse la femelle. Il répète cette séquence jusqu'à ce que quatre ou cinq femelles aient déposé leurs œufs dans son nid.

L'instinct sexuel cède alors la place à une autre série de réactions. Le mâle reprend sa terne couleur grise. Son rôle consiste maintenant à défendre le nid et à alimenter les œufs en oxygène en les arrosant d'eau avec ses nageoires pectorales. Une fois les œufs éclos, le mâle protège les jeunes poissons jusqu'à ce qu'ils soient assez grands pour subvenir à leurs propres besoins. Il va même jusqu'à ramener les égarés au nid en les portant délicatement dans sa bouche.

La constance de ce cycle — lutte, accouplement, soins aux petits — est telle qu'elle a permis à Tinbergen de réaliser une série d'expériences très révélatrices sur le système de messages ou de signaux qui libèrent les réactions de l'animal aux différentes pulsions. Il a découvert, par exemple, que l'approche zigzagante du mâle vers la femelle est une réaction d'agressivité qui doit s'épuiser avant de céder à l'impulsion sexuelle. C'est la forme gonflée du ventre de la femelle qui déclenche chez le mâle le comportement séducteur. Une fois que la femelle a pondu, le rouge cesse de l'attirer. Elle ne dépose pas ses œufs avant d'avoir été frappée par le mâle. Ainsi, c'est l'action conjuguée de la vue et du toucher qui déclenche les diverses phases du cycle.

Les expériences rendues possibles par la constance du cycle ont notamment permis à Tinbergen d'observer le cas où la séquence est interrompue par l'intrusion d'un nombre de mâles excessif et par le surpeuplement des territoires individuels qui en résulte. L'excès de rouge, dû aux mâles trop nombreux, brise l'enchaînement de la séquence de séduction. La suppression de telle ou telle phase de la séquence a pour effet d'empêcher le dépôt des œufs dans un nid ou leur fertilisation. En cas d'extrême surpopulation, les mâles se battront à mort.

Le crabe et l'épinoche nous offrent des indications utiles sur les rapports de l'espace avec la fonction reproductrice et le contrôle de la population. Chez le crabe, c'est le sens de l'odorat qui détermine la distance nécessaire à l'individu, ainsi que le nombre maximum de crabes qui peuvent vivre dans une zone donnée de la mer. Chez l'épinoche, ce sont la vue et le toucher qui commandent le cycle rigoureux dont l'intégralité est indispensable à la reproduction de l'animal. La surpopulation rompt le cycle et retentit sur la reproduction. Chez l'un et l'autre animal, la sensibilité des appareils récepteurs — odorat, vue, toucher ou leur combinaison — détermine la distance à laquelle les individus peuvent vivre et continuer d'accomplir le cycle reproducteur. Lorsque cette distance spécifique n'est pas respectée, ils succombent à l'agression de leurs congénères plutôt qu'à la famine, à la maladie ou à l'attaque des prédateurs.

Il devient indispensable de reconsidérer la doctrine de Malthus, qui lie démographie et réserves alimentaires. Depuis des siècles, les Scandinaves ont observé la marche suicidaire des lemmings vers la mer. Des comportements suicidaires semblables ont été observés chez les lapins, et qui correspondent à l'effondrement consécutif aux très fortes poussées démographiques. Les indigènes de certaines îles du Pacifique ont vu des rats se comporter de même. On a beaucoup spéculé sur ce comportement bizarre de certains animaux, mais c'est récemment seulement qu'on a commencé d'entrevoir les facteurs qui expliquent la course folle des lemmings.

A l'époque de la Seconde Guerre mondiale, quelques savants commencèrent à soupçonner que la régulation démographique était liée à d'autres facteurs que l'activité des prédateurs et l'importance des réserves alimentaires, et que le comportement des lapins et des lemmings relevait sans doute de ces autres facteurs. Il semblait bien en effet que lors des grandes crises de mortalité la nourriture ait été abondante et qu'on n'ait pu constater aucun signe de privation sur les cadavres.

Ethologue formé à la pathologie, John Christian fut l'un des savants qui étudièrent ce phénomène. En 1950, il avançait la thèse selon laquelle les fluctuations de la population chez les mammifères sont régies par des mécanismes physiologiques de réaction à la *densité*. Il en donnait la preuve en montrant que l'augmentation du nombre d'animaux sur une aire donnée provoque un *stress* qui finit par déclencher une réaction endocrine létale. Il manquait à John Christian un certain nombre de données qu'il eût pu recueillir sur une population de mammifères au cours même du processus d'effondrement démographique. L'idéal eût été de pouvoir mener les observations endocrinologiques avant, pendant et après l'effondrement de la population. Par chance, l'essor de la population de cerfs de l'île James vint attirer son attention à point nommé.

LA CRISE DE MORTALITÉ DE L'ÎLE JAMES

A quelque trente kilomètres à l'ouest de la ville de Cambridge (Maryland) et à moins de deux kilomètres de la côte, dans la baie de Chesapeake, l'île James représente environ soixante-dix hectares inhabités. En 1916, on y lâcha 4 ou 5 cerfs Sika (*Cervus nippon*) qui, se reproduisant librement, finirent par constituer un troupeau de 280 à 300 têtes, soit environ un cerf par demi-hectare. A ce stade, atteint en 1955, il devenait évident que la situation n'allait pas pouvoir se maintenir.

La même année, Christian commençait ses recherches. Il abattait 5 cerfs en vue d'entreprendre l'étude histologique des glandes surrénales, du thymus, de la rate, de la thyroïde, des ovaires, des reins, du foie, du cœur, des poumons, etc. Il pesa les animaux, analysa le contenu de leur estomac, enregistra leur âge et leur sexe, prit note de leur état général et de la présence ou de l'absence de dépôts de graisse sous la peau, dans l'abdomen, ou entre les muscles.

Ces indications consignées, les observateurs se préparent

à attendre la suite. En 1956 et 1957, aucun changement ne se produisit. Mais, durant les trois premiers mois de 1958, plus de la moitié des cerfs moururent et 161 cadavres furent retrouvés. L'année suivante, la mortalité s'accrut encore et on assista à une nouvelle chute de la population qui se stabilisa aux environs de 80 têtes. Entre mars 1958 et mars 1960, on procéda alors à l'étude histologique de 12 cadavres de cerfs.

A quoi attribuer la mort soudaine de 190 animaux en l'espace de deux années ? La carence alimentaire devait être exclue, la nourriture ayant été suffisamment abondante. En fait, les animaux étaient en excellente condition, présentaient des robes luisantes, une musculature bien développée et des réserves de graisse. Les cadavres recueillis entre 1959 et 1960 étaient identiques à ceux prélevés en 1956 et 1957 à tous égards, sauf un : les cerfs examinés après la crise de mortalité et la stabilisation de la population étaient de dimensions sensiblement plus grandes que ceux étudiés immédiatement avant ou pendant la crise. Les daims de 1960 pesaient en moyenne 34 % de plus que ceux de 1958. Et les biches ramassées en 1960 pesaient 28 % de plus que celles de la période 1955-1957.

Le poids des surrénales était demeuré constant de 1955 à 1958, pendant la phase de densité et de mortalité les plus élevées. En revanche, ce poids diminua de 46 % entre 1958 et 1960. Chez les jeunes cerfs, le poids des glandes surrénales diminua de 81 % après la crise de mortalité. On notait également dans la structure cellulaire de leurs surrénales des changements importants traduisant un état de *stress*. Ceci fut observé également chez les survivants. Deux cas d'hépatite furent en fait attribués à une diminution de la résistance au *stress*, due à un hyperfonctionnement des surrénales. Pour comprendre les résultats obtenus par Christian, il faut bien saisir le sens de l'activité surrénale. Elle joue un rôle important dans la régulation de la croissance, de la reproduction et des systèmes de défense de l'organisme. La taille et le poids des surrénales ne sont pas fixes, ils varient en fonction du *stress*. En cas de *stress* trop fréquents, les surrénales sont nécessairement soumises à un hyperfonctionnement qui entraîne leur hypertrophie. La présence de surrénales hypertrophiées présentant la structure cellulaire caractéristique provoquée par le *stress* était donc hautement significative.

Un facteur supplémentaire avait incontestablement accru le *stress* : le gel de février 1958 avait empêché les cerfs de gagner le continent à la nage, habitude nocturne qui leur permettait de pallier, au moins temporairement, la densité critique atteinte dans l'île. La plus forte crise de mortalité suivit immédiatement ce grand gel. La suppression de la soupape offerte par le continent ajoutée à l'action du froid, anxiogène reconnu, précipitèrent sans doute la catastrophe.

En 1951, au cours d'un symposium sur les rapports entre surpopulation, *stress* et sélection naturelle, Christian résumait en ces termes les conclusions de ses observations : « De toute évidence, la mortalité résultait du choc consécutif à de sévères désordres métaboliques ayant vraisemblablement pour cause, à en juger par les données histologiques, une hyperactivité adrénocorticale prolongée. Cette mortalité massive ne peut s'expliquer ni par une épidémie ni par la famine ou aucune autre manifestation de cet ordre. »

Du point de vue physiologique, l'étude de John Christian est complète et ne laisse rien à désirer. Cependant, certaines questions concernant le comportement du cerf *stressé* demeureront sans réponse jusqu'à ce que se présente une nouvelle occasion de les étudier. Par exemple, l'agressivité des cerfs avait-elle augmenté ? Dans l'affirmative, était-ce l'une des raisons pour lesquelles la mortalité, neuf fois sur dix, frappait les biches et les faons ? Il faut souhaiter que les prochaines observations puissent être poursuivies pendant une année entière.

PRÉDATION ET POPULATION

Moins spectaculaires, les travaux sur la prédation du regretté Paul Errington, apportent cependant des preuves supplémentaires de l'insuffisance des théories malthusiennes pour l'explication de la majorité des crises massives de mortalité. En examinant le contenu d'estomacs de hiboux, Errington découvrit qu'il s'agissait principalement d'animaux impubères, ou vieux ou malades (trop lents pour échapper au prédateur). Dans une étude sur les rats musqués, il découvrit que la maladie, conséquence de la moindre résistance causée par le stress du surnombre, tuait plus d'animaux que la voracité des visons. Deux fois au cours d'une même année, des rats musqués morts de maladie furent découverts dans un même terrier. Selon Errington, le rat musqué tend comme l'homme à devenir féroce lorsqu'il est stressé par la surpopulation. Le même auteur montre également que passé un certain seuil, la surpopulation entraîne une baisse de natalité chez les rats musqués.

Beaucoup d'éthologues en sont maintenant venus à penser que le prédateur et sa proie entretiennent une subtile relation de symbiose où le prédateur ne peut être tenu pour un agent de la régulation démographique, mais doit plutôt être assimilé à une contrainte de l'environnement, tendant à l'amélioration de l'espèce. Assez curieusement, ces recherches ont suscité peu d'attention. Témoin le cas du biologiste Farley Mowat, envoyé récemment par le gouvernement canadien dans la région arctique pour y déterminer le nombre de caribous tués par les loups et qui en ramena une analyse détaillée du processus. Les troupes de caribous avaient été décimées dans de telles proportions que l'on procédait sans le moindre scrupule à l'extermination des loups. Or Farley Mowat découvrit trois faits : premièrement, les loups ne tuaient qu'un très petit nombre de caribous ; deuxièmement, ils étaient utiles aux caribous, leur présence contribuant à la santé et à la vigueur des troupeaux (fait que les Esquimaux connaissent bien) ; troisièmement, la diminution des troupeaux de caribous était due aux massacres perpétrés par les *chasseurs* et les *trappeurs*, pour nourrir leurs chiens en hiver. En dépit des preuves convaincantes, soigneusement réunies dans son livre *Never Cry Wolf*, l'auteur assure que l'on continue à empoisonner systématiquement les loups. Bien qu'il soit impossible de mesurer à l'avance les conséquences de la disparition du loup arctique, cette leçon ne devrait pas être ignorée. C'est là seulement un exemple, parmi bien d'autres, où la cupidité bornée de l'homme met en danger l'équilibre de la nature. Lorsque les loups auront disparu, le nombre des caribous continuera de diminuer, car les chasseurs seront toujours là. Et les survivants ne seront plus aussi vigoureux que leurs prédécesseurs, car ils n'auront pas affronté la présence thérapeutique des loups.

Les exemples de ce chapitre appartiennent à la catégorie de l'expérimentation naturelle. Mais il faut aussi envisager l'expérimentation contrôlée qui permettra, par exemple, aux animaux de se développer en toute liberté et abondance de nourriture, mais à l'abri des prédateurs. Les expériences et les recherches qui font l'objet du chapitre suivant montrent clairement que prédation et ration alimentaire n'ont pas l'importance que nous leur attribuons. Elles précisent dans le détail le rôle joué par le *stress* de surpopulation dans la régulation démographique dont elles éclairent en outre les mécanismes biochimiques.

3

Comportement social
et surpopulation[1]
chez les animaux

LES EXPÉRIENCES DE CALHOUN

1958, une petite route de campagne à la sortie de Rockville dans le Maryland et, un peu à l'écart, une banale grange
de pierre que personne n'aurait eu l'idée de remarquer.
Son aménagement intérieur était cependant peu ordinaire :
elle abritait, en effet, une construction conçue par l'éthologue
John Calhoun pour répondre aux besoins matériels de plusieurs colonies de rats blancs de Norvège, domestiqués.
L'organisation de Calhoun devait permettre d'observer le
comportement des colonies de rats à n'importe quel moment.

En fait, les expériences de la grange représentaient seulement la phase ultime d'un programme de recherches s'éten-
dant sur quatorze années. En 1947, Calhoun commençait
ses travaux sur la dynamique du peuplement en milieu
naturel et plaçait dans un enclos de 1 000 m² à l'air

---

1. Dans tout ce qui suit, ce terme sera employé pour traduire
l'anglais *crowding* (N.d.T.).

libre cinq femelles gravides du rat de Norvège non domestiqué. L'expérience dura vingt-huit mois. En dépit d'une nourriture abondante, et bien qu'elle fût à l'abri des bêtes de proie, la population ne dépassa jamais 200 individus et finit par se stabiliser à 150. Ces observations mettent en évidence la différence qui sépare les expériences de laboratoire des expériences faites sur des rats non domestiqués et dans des conditions plus proches de la nature. Calhoun précise en effet que pendant les vingt-huit mois que dura son étude, les 5 femelles auraient pu donner naissance à 50 000 individus. Certes, ce nombre était trop élevé pour l'espace disponible. Néanmoins, on peut arriver expérimentalement à maintenir 5 000 rats en bonne santé dans un espace de 930 m² seulement, à condition de les répartir dans des enclos de 0,2 m² de surface. Si l'on réduit les dimensions des cages à 5 cm², non seulement les 50 000 rats sauront s'en accommoder, mais ils demeureront en bonne santé. Pour Calhoun, il s'agissait donc de trouver pourquoi, dans des conditions de nature, la population se stabilisait à 150 individus.

Il découvrit que même en réduisant le nombre des animaux à 150 par enclos de 1 000 m², leurs batailles entraînaient de telles perturbations dans le comportement maternel que quelques-uns des petits seulement y survivaient. De plus, les rats ne se dispersaient pas au hasard sur le terrain, mais s'organisaient en douze ou treize colonies bien circonscrites d'une douzaine d'animaux chacune. Calhoun constata également que douze constitue le nombre maximum de rats susceptibles de coexister harmonieusement dans un groupe naturel, ce nombre pouvant toutefois déjà induire le stress avec tous les effets physiologiques secondaires décrits à la fin du chapitre II.

Les résultats obtenus avec l'enclos situé à l'air libre permirent à Calhoun de concevoir un nouvel ensemble d'expériences permettant aux rats de se multiplier librement dans des conditions telles que l'observation minutieuse ne retentirait aucunement sur le comportement des rats entre eux.

Les résultats de ces expériences sont assez surprenants

pour mériter une étude détaillée. A eux seuls, ils fournissent une information considérable sur la réaction des organismes vivants aux différentes modalités du surpeuplement. Et ils éclairent d'un jour nouveau les effets physiologiques importants du comportement social particulier engendré par le surpeuplement. Mais les travaux de Calhoun prennent une portée supplémentaire si on les rapproche des travaux de John Christian et des innombrables autres expériences et observations déjà accumulées sur les animaux — dont la diversité va des belettes et des souris jusqu'aux humains.

L'originalité des travaux de Calhoun tient à leur contraste avec ceux des psychologues qui, en pareil cas, cherchent habituellement à contrôler ou éliminer toutes les variables, sauf une ou deux dont ils disposent alors à volonté. De plus, la plupart de leurs recherches sont limitées aux réactions des individus. Les expériences de Calhoun portaient sur des groupes étendus et relativement complexes. En choisissant des espèces à vie brève, il palliait le défaut général des études de psychologie de groupe, qui couvrent habituellement de trop courtes périodes et ne peuvent montrer l'effet d'accumulation d'un ensemble donné de circonstances sur plusieurs générations successives. Calhoun procéda selon la meilleure tradition scientifique. Pour observer la croissance de la population, il ne se contenta pas d'une ou deux campagnes de seize mois, mais il en mena six, échelonnées de 1958 à 1961. Il est difficile d'évaluer à leur juste prix la richesse et la variété des découvertes qu'elles ont rendues possibles. Il faudra des années pour en épuiser la fécondité.

Le cadre expérimental.

Dans sa grange de Rockville, Calhoun construisit trois pièces de 13 m², se prêtant à l'observation grâce à des fenêtres vitrées de 3 m², pratiquées dans le plancher du grenier à foin. Chaque pièce pouvait ainsi être parfaitement observée à n'importe quel moment du jour ou de la nuit et cela sans perturber les rats. Chaque pièce fut divisée en

quatre parcs par des cloisons électrifiées. Chaque parc constituait une « unité d'habitation complète », contenant une
mangeoire, un abreuvoir, des lieux pour la nidation (du type
nid-observatoire perché) et les matériaux nécessaires à la
confection des nids. Des rampes placées au-dessus des barrières électrifiées reliaient tous les parcs, sauf le premier
et le quatrième. L'expérience acquise avec les rats sauvages
avait montré que chaque pièce pouvait être occupée par un
nombre de rats compris entre quarante et quarante-huit. Si
on divisait les pièces en parcs égaux, chacun de ceux-ci
pouvait alors recevoir une colonie de douze rats, nombre à
ne pas dépasser si on voulait éviter le *stress* sévère dû à
la surpopulation.

Calhoun commença son étude en plaçant une ou deux
femelles pleines, proches du terme de leur gestation, dans
chacun des parcs dont il avait enlevé les rampes. Puis il
laissa les petits arriver à l'état adulte. Une juste proportion
entre individus des deux sexes fut maintenue en éliminant
les rats excédentaires, si bien que la première série d'expériences commença avec trente-deux rats issus de cinq femelles. Les rampes furent remises en place et tous les rats
furent admis à explorer en toute liberté l'intérieur des
quatre parcs. La seconde série d'expériences commença avec
cinquante-six rats dont les mères furent retirées après le
sevrage. Comme pour la première série d'expériences, les
rampes de communication furent rétablies pour permettre
aux jeunes rats adultes d'explorer l'ensemble des quatre
parcs.

A partir de ce moment, l'intervention humaine cessa, sauf
en ce qui concerne l'élimination des petits excédentaires. Il
était en effet nécessaire d'empêcher la population de franchir
la limite de quatre-vingts individus, qui représente le double
de celle à partir de laquelle le *stress* devient décelable.
Calhoun estimait que s'il ne respectait pas cette marge de
sécurité, les colonies de rats subiraient une chute de population ou une crise de mortalité analogue à celle des cerfs
Sika, et qu'elles ne s'en remettraient pas. La stratégie de
Calhoun visait à maintenir une population de rats dans une

situation de *stress* pendant trois générations, de façon à pouvoir étudier les effets du *stress*, non seulement sur les individus, mais sur plusieurs générations.

Le « *cloaque* » comportemental.

Le terme « cloaque [1] » désigne un lieu destiné à recevoir les immondices. Calhoun a créé l'expression « cloaque comportemental » pour désigner l'ensemble des aberrations grossières qui apparurent dans le comportement de la plupart des rats de la grange de Rockville. Selon lui, ce phénomène « est la résultante de tout processus qui rassemble des animaux en nombre anormalement élevé. Les connotations malsaines du mot cloaque ne sont pas fortuites : le cloaque comportemental aggrave effectivement toutes les manifestations pathologiques observables dans un groupe donné ».

Le cloaque comportemental comprenait une série de perturbations relatives à la nidation, aux conduites de séduction, à l'activité sexuelle, à la reproduction et à l'organisation sociale. L'autopsie des rats révélait également de sérieuses atteintes physiologiques.

Le « cloaque » apparut lorsque la densité démographique atteignit approximativement le double de celle dont l'observation avait révélé qu'elle provoquait un *stress* maximal dans une colonie de rats sauvages. Le terme de « densité » désigne ici plus que le simple rapport du nombre d'individus

---

1. *Cloaque* nous a paru le terme français qui traduit le moins imparfaitement l'anglais *sink*. Pour l'intelligence de ce qui suit, deux remarques sont nécessaires :

a) En utilisant *sink*, l'anglais joue sur le double sens du terme qui signifie à la fois « égout », « cloaque » en tant que nom, et « sombrer, se noyer », en tant que verbe. Ainsi sont associées les idées de conduites dégénérées et le naufrage (métaphorique) de l'individu qu'elles impliquent.

b) L'expression *behavioral sink* (cloaque comportemental) est employée indifféremment par l'auteur pour désigner tantôt un ensemble d'aberrations du comportement, tantôt les conditions qui lui donnent naissance *(N.d.T.)*.

à l'espace disponible. En effet, sauf dans des cas extrêmes, la densité seule ne suffit pas à provoquer le *stress* chez les animaux.

Pour bien saisir la pensée de Calhoun, il faut nous reporter aux jeunes rats et les suivre depuis le moment où leur a été donnée la liberté de vagabonder dans leurs parcs jusqu'au moment où apparut le cloaque comportemental. Dans les conditions normales, sans surpeuplement, on observe une courte période où les jeunes rats pubères se battent jusqu'à ce qu'ils parviennent à établir une hiérarchie sociale relativement stable. Dans la première des deux séries d'expériences que nous avons mentionnées, deux mâles dominants établirent leur territoire dans les parcs I et IV. Chacun s'était assuré un harem de huit à dix femelles, constituant ainsi une colonie équilibrée, conforme aux groupes normaux observés dans le parc d'un quart d'acre. Les quatorze autres mâles se répartirent dans les parcs II et III. Quand la population atteignit ou dépassa le chiffre de soixante individus, la possibilité pour les rats de se nourrir solitairement fut pratiquement réduite à néant. En effet, leurs mangeoires avaient été conçues de façon qu'il faille un long moment pour extraire les boulettes de nourriture placées derrière un écran métallique. Les rats des parcs II et III furent donc conditionnés à se nourrir en compagnie des autres. Calhoun découvrit que « lorsque l'activité des parcs médians provoquait une utilisation des mangeoires deux à trois fois plus fréquente que dans les parcs terminaux, le cloaque comportemental commençait à se développer ». Nous allons décrire maintenant les perturbations affectant les structures normales du comportement.

Conduites de séduction et activités sexuelles.

Chez le rat de Norvège, ces conduites impliquent normalement une suite constante d'événements. Dans la sélection de leur partenaire, les rats mâles doivent être capables d'opérer trois distinctions fondamentales. Tout d'abord il leur faut savoir différencier la femelle et le mâle, puis les individus pubères de ceux qui ne le sont pas. Enfin il leur faut savoir découvrir une femelle fécondable, c'est-à-dire en état œstrogénique. Lorsque ces trois conditions se trouvent réunies dans son champ visuel et olfactif, le mâle poursuit la femelle. Celle-ci se sauve, mais sans hâte excessive et se niche dans le terrier, d'où elle sort la tête pour observer le mâle. Celui-ci se met à courir autour de l'entrée en exécutant une petite danse. Une fois la danse terminée, la femelle sort du terrier et l'accouplement a lieu. Durant l'acte sexuel, le mâle saisit avec délicatesse la peau du cou de la femelle entre ses dents.

Après l'apparition du cloaque comportemental dans les parcs II et III, tout changea. On put distinguer plusieurs catégories de mâles :

1. Les mâles dominants et agressifs, au nombre maximum de trois, présentaient un comportement normal.

2. Les mâles passifs évitaient à la fois comportement agressif et comportement sexuel.

3. Les mâles hyperactifs, mais de rang inférieur, passaient leur temps à poursuivre les femelles. Il leur arrivait de talonner une seule femelle harassée, à trois ou quatre. Lors de la phase de poursuite, ils omettaient les politesses rituelles : au lieu de s'arrêter devant l'entrée du terrier, ils y suivaient la femelle, ne lui laissant aucun répit. Pendant l'accouplement, ces mâles maintenaient souvent leur prise sur la femelle durant deux ou trois minutes au lieu des quelques secondes habituelles.

4. Les mâles de type pansexuel tentaient de monter n'importe quoi : femelles fécondables ou non, mâles aussi bien que femelles, jeunes ou adultes. N'importe quel partenaire faisait l'affaire.

5. Certains mâles refusaient à la fois les contacts sociaux et sexuels, et partaient à l'aventure, essentiellement pendant le sommeil des autres rats.

La nidation.

Chez les rats, le mâle et la femelle participent à la construction du nid, mais c'est la femelle qui fait la plus grande partie du travail. Les matériaux de nidation sont portés dans le terrier, empilés et creusés pour former la cavité qui contiendra les petits. Dans l'expérience de Calhoun, les femelles provenant des « harems » des parcs I et IV et toutes celles qui n'avaient pas été victimes du cloaque comportemental se montraient « bonnes femmes d'intérieur ». Elles étaient propres et nettoyaient régulièrement les alentours du nid. Les femelles des parcs II et III omettaient souvent d'achever le nid. On pouvait les voir transporter sur une rampe une fournée de matériaux qu'elles laissaient choir brusquement. Les matériaux qui arrivaient jusqu'au nid étaient abandonnés sur l'aire commune ou bien déchargés sur une pile qui n'était finalement pas creusée : aussi les petits se trouvaient-ils dispersés dès la naissance et peu d'entre eux furent en mesure de survivre.

Soins aux petits.

Normalement, les femelles prennent grand soin d'isoler les portées les unes des autres et au cas où un raton étranger est introduit dans leur nid, elles ne manquent pas de l'en retirer. Si les nids sont mis à découvert, les petits sont transportés dans un lieu mieux abrité. Les femelles atteintes par le cloaque omettaient de trier les petits et mélangeaient les portées ; les ratons étaient piétinés et souvent dévorés par des mâles hyperactifs qui envahissaient les nids. Si un nid se trouvait mis à découvert, la mère entreprenait de déplacer les petits, mais en omettant l'une ou l'autre phase du déménagement. Ainsi, pendant le transfert vers le nouveau nid, il arrivait souvent que les petits fussent lâchés et mangés par d'autres rats.

Territorialité et organisation sociale.

Le rat de Norvège a élaboré un type d'organisation sociale simple, qui s'applique à des groupes de dix à douze individus : hiérarchiquement classés, ils occupent et défendent un territoire commun. Le groupe est dominé par un mâle adulte et comporte des individus des deux sexes en proportion variable. Les rats de haut rang sont relativement libres par rapport aux autres, mais ceux qui occupent une position inférieure doivent en référer à leurs supérieurs. Leur statut social est exprimé en partie par le nombre de zones du territoire qui leur sont ouvertes. Celui-ci est proportionnel à l'élévation du rang.

Au stade du cloaque comportemental, les mâles dominants, incapables d'établir des territoires, substituaient le temps à l'espace. Trois fois par jour, on assistait autour des mangeoires à une « relève de la garde » houleuse, qui donnait lieu à batailles et bousculades. Chaque groupe était dominé par un seul mâle. Les trois mâles étaient de rang égal, mais, à l'inverse de ce que l'on constate dans les hiérarchies normales, remarquablement stables, le rang social était alors voué à l'instabilité. « A intervalles réguliers, au cours de leurs heures d'activité, les mâles dominants s'engageaient dans des bagarres qui s'achevaient par le transfert de la suprématie d'un mâle à un autre. »

Un autre aspect de l'organisation sociale du rat de Norvège réside dans ce que Calhoun a nommé les « classes » qui partagent un territoire et manifestent des conduites identiques. Ces classes paraissent avoir pour fonction de diminuer les frictions entre les rats. Chaque colonie en comptait normalement trois.

L'élévation de la densité démographique entraîne une prolifération des classes et sous-classes. Les mâles hyperactifs ne violaient pas seulement les règles de l'accouplement en envahissant les terriers lors de la poursuite des femelles, mais ils enfreignaient aussi d'autres règles territoriales. Ainsi, ils se déplaçaient en bandes, agités, curieux, absorbés par l'exploration du terrain. Ils ne craignaient apparemment que le mâle dominant qui dormait au pied de la rampe dans les parcs I ou IV, protégeant ainsi son territoire et son harem contre les envahisseurs.

Les rats du parc I témoignaient clairement des avantages assurés à la fois à l'espèce et à l'individu par la territorialité et la stabilité des relations hiérarchiques. De la fenêtre d'observation, en haut de la pièce, on pouvait voir un gros rat plein de santé, endormi au pied d'une rampe. En haut de celle-ci, il arrivait parfois qu'un petit groupe de mâles hyperactifs tentent de le provoquer pour voir s'ils pouvaient entrer sur son territoire. Il lui suffisait alors d'ouvrir un œil pour décourager toute tentative d'invasion.

De temps à autre, il arrivait qu'une femelle sorte d'un terrier, passe devant le mâle endormi, grimpe rapidement la rampe sans le réveiller, et s'en revienne plus tard suivie d'une bande de mâles hyperactifs qui, parvenus en haut de la rampe s'arrêtaient net. Au-delà de ce point, la femelle n'avait plus rien à craindre et pouvait porter et élever ses petits sans être perturbée par l'agitation incessante des zones cloacales. L'activité maternelle des femelles du parc I fut évaluée de dix à vingt-cinq fois supérieure à celle des femelles de la zone cloacale. Non seulement leurs portées étaient deux fois plus nombreuses, mais la moitié des petits ou davantage survivait au sevrage.

Conséquences physiologiques du cloaque comportemental.

Comme dans le cas des cerfs Sika, ce furent les femelles et les jeunes rats qui se montrèrent le plus durement atteints par la crise cloacale. Le taux de mortalité chez les femelles était trois fois et demie plus élevé que chez les mâles. Un quart seulement des cinq cent cinquante-huit petits, nés pendant la phase aiguë du cloaque comportemental, survécurent au sevrage. Les femelles gravides présentaient des troubles de la gestation. Non seulement le taux des avortements monta de façon significative, mais les femelles se mirent à mourir de dysfonctionnement de l'utérus, des ovaires ou des trompes de Fallope. L'autopsie révéla des tumeurs des glandes mammaires, et des organes sexuels. Les reins, foies et glandes surrénales étaient également hypertrophiés ou lésés et présentaient les signes cliniques qui accompagnent habituellement le *stress* intense.

Le comportement agressif.

Comme l'a montré l'éthologue allemand Konrad Lorenz dans *Tous les chiens, tous les chats*, un comportement agressif normal est lié à des signaux qui arrêtent l'impulsion agressive, lorsque le vaincu « a son compte ». Les rats mâles des zones cloacales ne mettaient pas fin à leurs réactions d'agressivité, mais les poursuivaient indéfiniment en se mordant la queue entre eux, sans provocation préalable et de façon imprévisible. Ce manège dura trois mois jusqu'à ce que les rats adultes eussent découvert de nouveaux moyens pour empêcher l'attaque par morsure. Mais les jeunes rats qui n'avaient pas appris à protéger leur queue des morsures, demeurèrent exposés dangereusement.

Arrêt du processus cloacal.

Une deuxième série d'expériences permit de démontrer la relation de cause à effet entre le cloaque comportemental et le conditionnement au repas collectif. Dans ces expériences, Calhoun changea de type de nourriture, remplaçant les boulettes par de la farine plus rapidement absorbable. L'eau, en revanche, fut distribuée par une fontaine à débit lent, si bien que les rats furent conditionnés à boire, mais non plus à manger, les uns avec les autres. Ce changement assura une répartition plus régulière de la population dans les parcs. Comme les rats boivent en général immédiatement après le réveil, ils eurent tendance à demeurer dans la zone choisie pour le sommeil. (Au cours de l'expérience précédente, la plupart des rats avaient émigré dans le parc où ils mangeaient.) Il y a lieu de croire que dans cette seconde série d'expériences, un cloaque comportemental aurait aussi fini par se développer. Mais les causes en auraient été différentes. Un des mâles finit en effet par établir sa domination sur les parcs III et IV, en chassant tous les autres rats. Un deuxième était sur le point d'établir ses droits territoriaux sur le parc II. Quand l'expérience prit fin, *80 % des mâles étaient concentrés dans le parc I, et tous les autres, à l'exception d'un seul, se trouvaient dans le parc II.*

Résumé des expériences de Calhoun.

Les expériences de Calhoun montrent clairement que le rat lui-même, malgré sa résistance, ne peut supporter le désordre, et qu'à l'instar de l'homme, il a besoin de moments de solitude. Les femelles au nid sont particulièrement vulnérables, tout comme les petits qui doivent être protégés de la naissance au sevrage. De même, les femelles gravides poursuivront leur gestation avec d'autant plus de difficulté qu'elles auront davantage été harcelées par les mâles.

La surpopulation n'a vraisemblablement en soi rien de pathologique qui soit susceptible d'engendrer les symptômes décrits plus haut. Cependant la surpopulation détruit des fonctions sociales importantes, provoquant ainsi la désorganisation et finalement l'effondrement démographique ou la crise de mortalité.

Les mœurs sexuelles des rats en phase cloacale subirent de profondes altérations, se traduisant notamment par une pansexualité et un sadisme endémiques. L'éducation des petits se fit dans le plus complet désordre. Le comportement social des mâles se dérégla au point d'aboutir à l'agression permanente (morsures des queues). Les hiérarchies sociales étaient devenues instables et les tabous territoriaux méprisés quand ils n'étaient pas imposés par la force. Le taux de mortalité extrêmement élevé des femelles rompit l'équilibre des sexes, détériorant la situation des femelles qui furent encore plus harcelées par les mâles durant la période fécondable.

Malheureusement nous ne disposons pas de données

concernant des populations de rats sauvages soumises à un *stress* violent et en cours d'effondrement démographique, qui puissent être confrontées aux résultats de Calhoun. Si Calhoun avait prolongé la durée de ses expériences, peut-être l'effet cloacal se serait-il développé aux dimensions d'une crise [1]. En tout état de cause, ces expériences sur les rats se révèlent à la fois spectaculaires et fort complexes. Mais des observations limitées aux seuls rats blancs de Norvège ne permettraient vraisemblablement pas de déterminer les nombreux facteurs simultanément impliqués dans le maintien de l'équilibre démographique. Fort heureusement cependant, l'observation d'autres espèces a permis d'éclairer les processus d'autopréservation au moyen desquels les animaux règlent leur propre densité démographique.

BIOCHIMIE DE LA SURPOPULATION

Par quels mécanismes la surpopulation peut-elle produire les effets catastrophiques — depuis les diverses formes aberrantes de l'agression jusqu'à la crise de mortalité massive — que nous avons observés chez les animaux aussi différents que le cerf, l'épinoche et le rat ? Cette question a entraîné des recherches dont les résultats ont une portée considérable.

Deux chercheurs anglais, A.S. Parkes et H.M. Bruce, étudiant les effets différents des stimuli olfactifs et visuels chez les oiseaux et les mammifères, signalèrent dans la revue *Science* que chez la souris la gravidité peut être supprimée par la présence d'un mâle autre que le partenaire originel pendant les quatre premiers jours après la conception. Dans ces expériences, les seconds mâles furent d'abord autorisés à s'accoupler avec les femelles pendant leur période de fécondabilité. Les auteurs démontrèrent ensuite que la simple présence d'un second mâle dans la cage bloquait la gestation. Finalement ils découvrirent que le blocage

1. En fait, les résultats de Calhoun traduisent l'imminence d'une crise.

se produisait si une femelle gravide était introduite dans une zone d'où un mâle venait d'être retiré. Le mâle — absent — ne pouvant plus être vu par la femelle fécondable, il devenait évident que l'agent du processus était l'odorat et non la vue. La justesse de cette hypothèse fut prouvée en démontrant que la destruction du lobe cérébral de l'olfaction chez la femelle la rendait invulnérable au pouvoir contraceptif des mâles étrangers.

L'autopsie des femelles dont la gestation avait été bloquée montra que le corps jaune qui maintient l'œuf fécondé sur la paroi de l'utérus ne s'était pas développé. La croissance normale du corps jaune est stimulée par une hormone, la prolactine et on peut empêcher le blocage de la gestation par l'injection d'ACTH.

Exocrinologie.

Les travaux de Parkes et Bruce ont radicalement transformé les théories reçues concernant les relations avec le monde extérieur des délicats systèmes de régulation chimique de notre corps. Les glandes à sécrétion interne, ou glandes endocrines, exercent leur influence pratiquement sur toutes les activités du corps ; elles ont été longtemps conçues comme un système clos, scellé dans le corps qui paraissait alors n'être relié au monde extérieur que de façon indirecte. Les expériences de Parkes et Bruce ont démontré qu'il n'en était pas toujours ainsi. Ils créèrent le terme « exocrinologie » pour défendre la conception élargie qui leur faisait inclure parmi les régulateurs chimiques les produits des glandes odorifères éparses sur le corps des mammifères. Des substances odorifères sont sécrétées par des glandes spéciales en des points anatomiquement fort variés : entre les sabots du cerf, sous les yeux des antilopes, sous les pattes des souris, derrière la tête du chameau d'Arabie, et sous les aisselles de l'homme. En outre, des substances odorifères sont également produites par les organes sexuels, et apparaissent dans l'urine et les fèces.

Il est maintenant reconnu que les sécrétions externes d'un

organisme agissent directement sur la chimie corporelle des autres organismes et contribuent de diverses manières à l'intégration des activités de populations entières ou de groupes d'individus. Exactement comme les sécrétions internes permettent l'intégration de l'individu, les sécrétions externes facilitent l'intégration du groupe. Le fait que les deux systèmes soient en relation l'un avec l'autre permet d'expliquer en partie le caractère autorégulateur des contrôles démographiques et les anomalies du comportement provoquées par la surpopulation. Ce dernier syndrome est donc lié à la réaction physique au *stress*.

Le savant autrichien Hans Selye, qui travaille à Ottawa et dont le nom est depuis longtemps associé à l'étude du *stress*, a démontré que les animaux peuvent mourir de choc à la suite de *stress* répétés. A toute demande accrue, l'organisme doit faire face par un apport supplémentaire d'énergie. Chez les mammifères, cette source d'énergie est constituée par le sucre contenu dans le sang. Si des demandes répétées épuisent la réserve de sucre, l'animal entre en état de choc.

La métaphore de « la banque à sucre ».

Dans un ouvrage au titre provocant *The Hare and The Haruspex*[1], le biologiste Edward S. Deevey de l'université de Yale illustrait récemment la biochimie du *stress* et du choc par une métaphore suggestive : « Si l'on assimile les besoins vitaux à des valeurs monnayables en sucre, le foie joue alors le rôle d'une banque. Les retraits numéraires courants ont lieu par l'entremise d'hormones provenant du pancréas et de la moelle surrénale qui jouent le rôle de caissiers. Mais les décisions majeures (concernant la croissance ou la reproduction, par exemple) relèvent des administrateurs de la banque, c'est-à-dire du cortex surrénalien et de l'hypophyse. Dans la théorie de Selye, le *stress* corres-

1. A Rome, l'haruspice avait pour fonction de consulter les entrailles des victimes *(N.d.T.)*.

pondrait à une défaillance administrative des hormones
tandis que le choc serait la conséquence de chèques sans
provision tirés par la direction.

« Une analyse attentive du "modèle" de la banque révèle
l'importance extrême du servomécanisme qui le régit : une
solidarité quasi bureaucratique lie le cortex surrénalien à
l'hypophyse, comme une caisse à un comité de direction.
Dans les lésions et infections qui sont une forme commune
du *stress*, le cortex surrénalien agit par une inflammation
contrôlée qu'il assure en tirant des chèques sur le foie. Si
le *stress* persiste, une hormone particulière, la cortisone,
envoie un message urgent à l'hypophyse. Celle-ci, devant le
tableau de la situation, délègue une sorte de vice-président,
l'ACTH ou hormone adrénocorticotrope, à la rescousse du
cortex surrénalien. Comme le laissent prévoir les travaux de
Parkinson, le cortex ainsi épaulé engage du personnel et
étend ses activités, exigeant en particulier plus d'ACTH.
Le vice de ce processus circulaire devrait apparaître avec
évidence et c'est généralement le cas ; mais tandis que les
prélèvements se poursuivent la quantité de sucre en circulation demeure trompeusement constante (grâce à un autre
servomécanisme) et il n'y a pas d'autre moyen que l'autopsie
pour évaluer les réserves de la banque.

« Si la persistance du *stress* commande à l'hypophyse de
soutenir toujours davantage l'ACTH, l'ensemble des grandes
transactions s'en trouve affecté. Ainsi une réduction portant
sur l'hormone ovarienne pourra conduire le cortex à traiter
un fœtus déjà bien formé comme une inflammation à supprimer. De même, les glandes liées aux fonctions viriles et
maternelles auront toute chance, malgré la disparité de
leurs apports en sucre, de se trouver taries de façon exactement semblable. Si nous laissons de côté l'hypertension (liée
à un autre facteur, le sel, dont nous n'avons pas à nous
occuper ici), le symptôme fatal pourra être l'hypoglycémie.
Un *stress* supplémentaire, si ténu soit-il, dû par exemple
à un bruit trop fort, correspond alors à la visite imprévue
du contrôleur de la banque. Affolée, la moelle surrénale
envoie une brusque décharge d'adrénaline dans les muscles,

le sang est vidé de son sucre et le cerveau est soudain privé d'aliment. Telle est, soit dit en passant, la raison pour laquelle l'état de choc est en apparence semblable à l'hyperinsulinémie. Un pancréas hyperactif, au même titre qu'une surrénale en état de panique, est comparable à un caissier indélicat surpris "la main dans le sac". »

Stress et surrénales.

On se rappelle que durant la période de mortalité massive et durant celle qui la précéda immédiatement, le cerf Sika présentait une importante hypertrophie des glandes surrénales. Celle-ci avait été attribuée aux demandes répétées en ACTH, dues à l'intensification du *stress* de surpeuplement.

Vers la fin des années 1950, John Christian entreprit dans la même optique l'étude des variations saisonnières que présentent les glandes surrénales des marmottes. Sur les huit cent soixante-douze animaux qu'il recueillit et autopsia durant quatre ans, il put faire les constatations suivantes : le poids moyen des surrénales augmentait jusqu'à 60 % entre mars et la fin juin, période de compétition pour les partenaires sexuels, caractérisée par une plus longue durée de l'activité diurne et *une plus forte concentration dans l'espace.* Le poids des surrénales diminuait en juillet, moment de la plus grande activité, mais où *l'agressivité* tombe à un étiage très faible. Le poids des surrénales subissait à nouveau une forte hausse en août où les jeunes marmottes se livraient à une activité intense pour la recherche de territoires et entraient en conflits fréquents. Christian concluait ainsi : « Il semble que le manque d'agressivité soit le facteur majeur qui détermine la réduction du poids des surrénales pendant l'été. »

Il est aujourd'hui généralement admis que les processus de sélection qui régulent l'évolution des organismes favorisent les individus dominants dans tout groupe donné. Non seulement ceux-ci subissent le *stress* de façon moins aiguë que les autres, mais ils semblent aussi mieux y résister. John Christian a montré dans une étude sur « la pathologie de la surpopulation » que les glandes surrénales des animaux

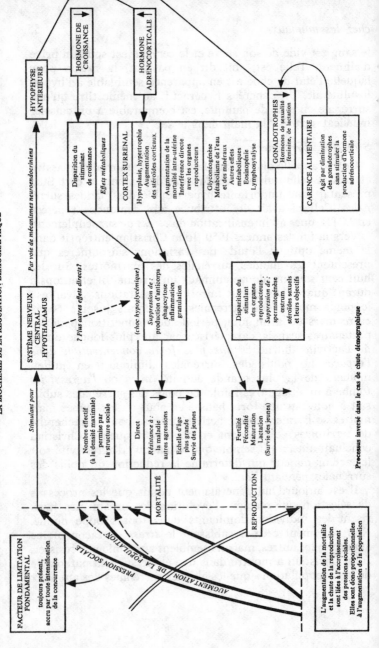

LA BIOCHIMIE DE LA RÉGULATION DÉMOGRAPHIQUE

HYPOPHYSE ANTÉRIEURE

HORMONE DE CROISSANCE

HORMONE ADRÉNOCORTICALE

GONADOTROPHES
Hormones de sexualité féminine, de lactation

Par voie de mécanismes neuroendocriniens

Disparition du stimulant de croissance
Effets métaboliques

CORTEX SURRÉNAL
Hyperplasie, hypertrophie
Augmentation des stéroïdes corticaux.
Augmentation de la mortalité intra-utérine avec interférence directe avec les organes reproducteurs
Glyconéogénèse
Métabolisme de l'eau et des minéraux
Autres effets métaboliques
Éosinopénie
Lymphocytalyse

CARENCE ALIMENTAIRE
Agit par diminution des gonadotrophes sans stimuler la production d'hormone adrénocorticale

SYSTÈME NERVEUX CENTRAL HYPOTHALAMUS

Stimulant pour

? Plus autres effets directs ?

(choc hypo(systémique))
Suppression de : production d'anticorps phagocytose inflammation granulation

Disparition du stimulant des organes reproducteurs : *Suppression de :* spermatogénèse *Suppression de :* œstrum stéroïdes sexuels et leurs objectifs

Nombre effectif (à la densité maximale) permise par la structure sociale

Direct

Résistance à : la maladie autres agressions
Échelle d'âge plus grande
Survie des jeunes

MORTALITÉ

Fertilité
Fécondité
Maturation
Lactation
(Survie des jeunes)

REPRODUCTION

FACTEUR DE LIMITATION FONDAMENTAL
toujours présent, accru par toute intensification de la concurrence

PRESSION SOCIALE

AUGMENTATION DE LA POPULATION

L'augmentation de la mortalité et la chute de la reproduction sont liées à l'accroissement des pressions sociales.
Elles sont donc proportionnelles à l'augmentation de la population.

Processus inversé dans le cas de chute démographique

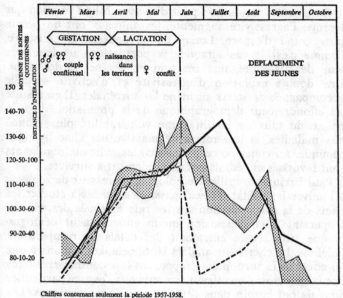

| Février | Mars | Avril | Mai | Juin | Juillet | Août | Septembre | Octobre |

MOYENNE DES SORTIES QUOTIDIENNES

DISTANCE D'INTERACTION

GESTATION · LACTATION

♂♀ ♀♀ couple conflictuel

♀♀ naissance dans les terriers

♀ conflit

DEPLACEMENT DES JEUNES

150
140-70
130-60
120-50-100
110-40-80
100-30-60
90-20-40
80-10-20

Chiffres concernant seulement la période 1957-1958.

——— Chiffre moyen des départs quotidiens
- - - Distance d'interaction
▨▨▨ Poids relatif des surrénales

Tableau de Christian (1963) montrant les variations saisonnières du poids des glandes surrénales de la marmotte en relation avec le nombre des animaux. Remarquer comment l'accroissement démographique qui a lieu de mars à juin est lié à une diminution de la distance d'interaction, du nombre de conflits et de l'intensité du stress ainsi qu'à une augmentation du poids des surrénales. Les conflits de la période de reproduction favorisent le stress. En juillet, avec le départ des jeunes, la distance d'interaction augmente et les glandes surrénales retrouvent leurs normes de fonctionnement.

« subalternes » travaillent de façon plus intensive et grossissent davantage que celles des animaux dominants. En outre, il avait déjà fait apparaître l'existence d'une corrélation entre l'agressivité et la distance observée entre eux par les animaux. En période de forte agressivité chez les marmottes mâles, à la saison de la reproduction, la distance moyenne d'interaction entre les animaux augmente. Le poids moyen des surrénales varie à la fois en fonction de la distance d'interaction moyenne et du nombre des interactions.

En d'autres termes, on peut dire avec John Christian que lorsque l'agressivité augmente, les animaux ont un besoin plus grand d'espace. Lorsqu'ils ne peuvent le satisfaire, comme c'est le cas lorsque les populations tendent vers leur densité-limite, une réaction en chaîne se déclenche. Une double explosion d'agressivité et d'activité sexuelle accompagnée de *stress* surmène les surrénales. Il en résulte un effondrement démographique de la population dû à la baisse du taux de fertilité, une vulnérabilité plus grande aux maladies, et une mortalité massive par choc hypoglycémique. Au cours de ce processus, les animaux dominants sont favorisés et réussissent généralement à survivre.

Paul Errington, brillant éthologue, professeur de zoologie à l'université d'Etat d'Iowa, passa des années à étudier les effets de la surpopulation sur les rats musqués des marais. Il parvint à la conclusion qu'un effondrement démographique trop sévère entraînait des délais de récupération indéfinis. Le chercheur anglais H. Shoemaker a montré que les effets de la surpopulation peuvent être contrecarrés dans une large mesure, en offrant aux animaux l'espace particulier dont ils ont besoin dans certaines situations critiques. Les canaris qu'il avait entassés dans une seule grande cage perturbèrent les animaux de rang inférieur dans la construction de leurs nids jusqu'au moment où ceux-ci furent pourvus de petites cages particulières où chaque couple pût faire son nid et élever ses petits. Les canaris mâles de rang inférieur disposèrent ainsi d'un territoire personnel inviolable et réussirent mieux leurs couvées.

Cette stratégie, qui consiste à assurer des territoires individuels aux familles et à isoler les animaux les uns des autres pendant la saison critique de l'accouplement, permet de contrecarrer les effets néfastes de la surpopulation jusque chez des animaux aussi peu évolués que l'épinoche.

Aspects positifs du stress.

Tout en déplorant les résultats de la surpopulation, nous ne devons pas oublier que le *stress* ainsi engendré possède

aussi ses aspects positifs. Il constitue un facteur efficace
de l'évolution dans la mesure où il met en jeu la compétition
à l'intérieur de l'espèce plutôt que la compétition entre
espèces, qui nous est généralement plus familière.

Il existe, en effet, une différence considérable entre ces
deux types de facteurs de l'évolution. La concurrence entre
les diverses espèces prépare en quelque sorte le terrain. Ce
processus implique l'espèce dans son ensemble sans tenir
compte des différences de lignées. En revanche, la compétition au sein de l'espèce améliore la race et renforce ses
caractères particuliers. En d'autres termes, la compétition
au sein de l'espèce permet de dégager les caractères latents
de l'organisme.

Les hypothèses actuelles sur l'évolution de l'homme font
état de ces deux types de concurrence. A l'origine, l'ancêtre
de l'homme était un animal à habitat terrestre. Mais il fut
contraint par la concurrence entre espèces ainsi que par
des changements survenus dans son environnement de déser-
ter le sol pour les arbres. La vie arboricole exige une vision
aiguë, mais elle fait moins appel à l'odorat qui joue un rôle
fondamental dans la vie au sol. C'est ainsi que l'odorat de
l'homme cessa de se développer, et que son acuité visuelle
s'accrut considérablement.

L'affaiblissement du sens olfactif et le fait que l'olfaction
ait cessé d'être un moyen important de communication ont
eu notamment pour conséquence la transformation des rapports humains. Peut-être l'homme a-t-il ainsi acquis une
plus grande tolérance à l'entassement. En effet, si l'homme
possédait un odorat aussi développé que le rat, par exemple,
il serait à jamais enchaîné au flux entier des émotions et
réactions affectives de ceux qui l'entourent. Ainsi, par exemple, nous sentirions la colère des autres. De même, la personnalité d'un visiteur ou les événements affectifs dans une
demeure, seraient exposés à tout un chacun tant qu'en sub-
sisteraient les odeurs. Les fous nous entraîneraient dans
leur délire et les anxieux redoubleraient notre anxiété. Notre
existence serait, en tout cas, beaucoup plus absorbante et
intense parce que moins soumise au contrôle de la

conscience : les centres cérébraux de l'olfaction sont, en effet, plus anciens et primitifs que les centres visuels.

Le transfert à la vision du rôle dominant primitivement imparti à l'odorat a défini en termes entièrement nouveaux la condition de l'homme. L'homme s'est trouvé en mesure de faire des plans parce que l'œil balaie un champ plus vaste ; il encode des données beaucoup plus complexes et développe ainsi la faculté d'abstraction. Au contraire, l'odorat, tout en offrant à l'homme de profondes satisfactions affectives et sensuelles le pousse dans la direction exactement opposée.

L'évolution de l'homme a été marquée par le développement des « récepteurs à distance » : la vue et l'ouïe. C'est ainsi qu'il a pu créer les arts qui font appel à ces deux sens, à l'exclusion virtuelle de tous les autres. La poésie, la peinture, la musique, la sculpture, l'architecture et la danse sont des arts qui dépendent essentiellement, sinon exclusivement, de la vue et de l'ouïe. Il en est de même des systèmes de communication que l'homme a élaborés. Dans les chapitres suivants, nous verrons comment l'importance relative accordée respectivement à la vue, l'ouïe et l'odorat varie selon les cultures et conduit à des perceptions très différentes de l'espace et des relations des individus dans l'espace.

4

La perception de l'espace les récepteurs à distance : les yeux, les oreilles, le nez

> ...Jamais nous ne percevrons le monde dans sa réalité, mais seulement le retentissement des forces physiques sur nos récepteurs sensoriels.
> F.P. KILPATRICK [1]

> L'ingéniosité des adaptations que révèlent l'anatomie, la physiologie et le comportement des animaux nous invite à croire què chacun d'eux a évolué de façon à s'adapter aux conditions de vie dans son propre petit coin du monde... Chaque animal habite également un monde subjectif privé qui n'est pas accessible à l'observation directe. Ce monde est constitué par une somme d'informations communiquée à l'animal de l'extérieur, sous forme de messages enregistrés par ses organes sensoriels.
> H.W. LISSMAN [2]

Ces deux citations soulignent le rôle joué par les récepteurs sensoriels dans la constitution des nombreux mondes perceptifs différents qu'habitent l'ensemble des organismes vivants. Elles indiquent également que les différences qui opposent ces mondes ne peuvent plus être ignorées. Pour comprendre l'homme, il faut avoir une notion de ses systèmes de réception et de la façon dont la culture transforme

1. *Explorations in Transactional Psychology.*
2. « Electric Location by Fishes », in *Scientific American.*

l'information que ceux-ci fournissent. L'appareil sensoriel de l'homme comporte deux catégories de récepteurs que l'on définira schématiquement comme :

1. Les « récepteurs à distance », qui s'attachent aux objets éloignés et qui sont les yeux, les oreilles et le nez.

2. Les « récepteurs immédiats », qui explorent le monde proche, par le toucher, grâce aux sensations que nous livrent la peau, les muqueuses et les muscles.

On pourrait d'ailleurs pousser cette classification plus avant. La peau, par exemple, est l'organe principal du toucher et elle est également sensible aux gains et déperditions de chaleur ; elle perçoit aussi bien la chaleur sous la forme irradiée qu'au travers d'un conducteur. C'est pourquoi, en toute rigueur, la peau est à la fois un récepteur à distance et un récepteur immédiat.

La quantité et la qualité de l'information transmises au système nerveux central par un système récepteur dépendent de son âge évolutif. Le système tactile est aussi ancien que la vie même ; la faculté de réagir aux stimuli est un des critères de base de la vie. La vue est le sens qui chez l'homme s'est développé le plus tardivement, c'est le plus spécialisé. Nous avons signalé l'importance qu'il prit quand il se substitua à l'odorat lors de l'émigration de l'homme dans les arbres. La vision stéréoscopique est essentielle pour la vie arboricole. Sans elle, sauter d'une branche à l'autre devient un exercice fort périlleux.

LES ESPACES VISUEL ET AUDITIF

La différence entre la quantité d'information fournie respectivement par les yeux et les oreilles n'a pas été calculée avec précision. Non seulement un tel calcul exigerait un système de conversion, mais on ignore, en fait, sur quelles données le fonder. On obtiendra cependant un ordre de grandeur concernant la complexité relative des deux systèmes en comparant la taille des nerfs qui relient respectivement les yeux et les oreilles aux centres cérébraux. Le nerf optique contenant environ dix-huit fois plus de neurones que le nerf cochléaire, on peut en conclure qu'il transmet au moins dix-huit fois plus d'informations. En fait, il est probable que chez les sujets normaux les yeux sont des informateurs mille fois plus efficaces que les oreilles. Le champ que peut couvrir l'oreille, sans aide extérieure, dans son activité quotidienne est très limité. L'oreille est très efficace dans un rayon maximum de six mètres. A trente mètres, la communication unilatérale reste possible, à un rythme sensiblement plus lent que celui de la conversation normale ; tandis que la communication bilatérale, la conversation, est considérablement gênée. Au-delà de cette distance les signaux auditifs élaborés par l'homme sont rapidement réduits à néant. En revanche, l'œil peut, sans aide extérieure, enregistrer une extraordinaire quantité d'informations dans un rayon de cent mètres, et demeure encore un moyen de communication efficace à un kilomètre et demi.

Les stimuli qui agissent respectivement sur l'oreille et l'œil diffèrent par la vitesse et la qualité. A la température de 0° centigrade, au niveau de la mer, la vitesse du son est de *330 mètres/seconde*, et les ondes sonores sont audibles à des fréquences de 50 à 15 000 cycles à la seconde. La vitesse de la lumière est de *300 000 kilomètres/seconde* et le rayon lumineux est visible à des fréquences de 10 000 000 000 000 000 cycles à la seconde.

La différence de nature et de complexité des instruments destinés à prolonger respectivement l'œil et l'oreille traduit la différence des quantités traitées par les deux systèmes. La radio est d'une construction beaucoup plus simple que la télévision et a été inventée bien avant. Même aujourd'hui, avec les techniques perfectionnées dont nous disposons pour prolonger les sens de l'homme, on constate une grande différence de qualité entre les reproductions sonores et les reproductions visuelles. On peut, en effet, obtenir un niveau de fidélité acoustique qui dépasse les possibilités de contrôle de l'oreille, alors que l'image visuelle n'est guère plus qu'un système de rappel mobile qui doit être traduit avant de pouvoir être interprété par le cerveau.

Les deux systèmes de réception, visuel et auditif, diffèrent donc considérablement non seulement par la quantité et la nature de l'information qu'ils peuvent traiter, mais aussi par la quantité d'espace qu'ils peuvent contrôler de manière efficace. A une distance de 400 mètres, la barrière sonore est pratiquement indécelable, ce qui ne serait pas le cas d'un mur élevé ou d'une barrière visuelle masquant une perspective. L'espace visuel a donc un caractère entièrement différent de celui de l'espace sonore. L'information visuelle est en général moins ambiguë et mieux centrée que l'information auditive. Une exception majeure est fournie par l'activité auditive de l'aveugle, qui apprend à sélectionner les hautes fréquences acoustiques pour localiser les objets qui l'entourent.

Les chauves-souris, bien entendu, vivent dans un monde sonore bien intégré qu'elles produisent à la manière d'un radar et qui leur permet de localiser des objets aussi infimes qu'un moustique. De même les dauphins utilisent l'audition et les ultra-sons plutôt que la vue pour naviguer et repérer leur nourriture. Il faut ajouter que le son se transmet quatre fois plus vite dans l'eau que dans l'air.

Mais on ne possède pas de données techniques sur les mécanismes mis en jeu par l'opposition de deux espaces visuel et auditif. Ainsi, par exemple, les non-aveugles se heurteront-ils davantage aux meubles dans une pièce qui répercute le son ? Est-il plus facile d'écouter quelqu'un si sa voix parvient d'un point facilement localisable plutôt que si elle est transmise par plusieurs haut-parleurs ? On dispose pourtant de certaines données sur le rôle de l'espace auditif. Une étude du phonéticien J.W. Black a démontré que la vitesse de lecture est affectée par la dimension de la pièce où elle a lieu et par le temps de réflexion. On lit plus lentement dans les grandes pièces à temps de réflexion lent que dans les petites pièces. Dans le cadre de mes observations personnelles, un de mes sujets, brillant architecte anglais, parvint à améliorer le rendement d'un comité déficient, en ayant la perspicacité d'harmoniser les champs visuel et auditif dans sa salle de réunion. De nombreuses plaintes formulées contre l'inefficacité du président allaient rendre son remplacement nécessaire. L'architecte eut la sagesse d'estimer que les difficultés provenaient bien davantage de l'environnement que du président. Sans informer les intéressés de son intervention, l'architecte parvint à différer le remplacement du président tandis que lui-même travaillait à corriger les défauts de l'environnement. La salle de conférences donnait sur une rue très animée et le bruit de la circulation était multiplié par la réverbération des murs et du sol nu de la pièce. La réduction des interférences auditives supprima, du même coup, la tension anormale qu'elles provoquaient au cours des séances et les plaintes contre le président cessèrent.

On notera ici, pour éclairer ces faits, que les Anglais des classes sociales supérieures, sortis des « public schools », témoignent d'une capacité très supérieure à celle des Américains dans le contrôle et la modulation de leur voix. Et de fait, les facteurs acoustiques susceptibles d'interférer dans le contrôle de leur voix agissent de façon particulièrement irritante sur les Anglais. La sensibilité des Anglais à l'espace acoustique apparaît clairement dans l'expérience réalisée par Sir Basil Spence à Coventry où, pour reconstruire la cathédrale détruite par les bombardements de la Deuxième Guerre, il a conçu des formes d'une plastique audacieuse et neuve, mais véritablement recréé l'*atmosphère* de la cathédrale primitive. Pour Sir Basil Spence, une cathédrale ne doit pas seulement posséder l'apparence visuelle mais la résonance propre des cathédrales. C'est pourquoi il prit la cathédrale de Durham comme modèle et il mit à l'épreuve des centaines d'enduits différents avant d'en trouver un qui présentât toutes les qualités acoustiques requises.

La perception de l'espace n'implique pas seulement ce qui peut être perçu mais aussi ce qui peut être éliminé. Selon les cultures, les individus apprennent dès l'enfance, et sans même le savoir, à éliminer ou à retenir avec attention des types d'information tèrs différents. Une fois acquis, ces modèles perceptifs semblent fixés pour toute la vie. Ainsi, les Japonais qui disposent de toute une variété d'écrans visuels se contentent néanmoins parfaitement de murs de papier comme écrans acoustiques. Passer la nuit dans une auberge japonaise, lorsqu'une fête se déroule dans la chambre voisine, constitue pour l'Occidental une expérience sensorielle inconnue et surprenante. Les Allemands et les Hollandais, au contraire, ont besoin de murs épais et de portes doubles pour faire écran au bruit et ils sont gênés s'ils ne disposent que de leur seul pouvoir de concentration pour se défendre contre les sons. Entre deux pièces de dimensions identiques mais dont l'une est insonorisée, l'Allemand, sensible aux bruits, qui essaie de se concentrer, choisira l'insonorisée où il se sent mieux isolé et moins vulnérable.

L'ESPACE OLFACTIF

Dans l'usage de leur appareil olfactif, les Américains sont culturellement sous-développés. L'usage intensif des désodorisants, l'habitude de désodoriser les lieux publics, ont fait des U.S.A. un pays olfactivement neutre et uniforme dont on chercherait en vain un équivalent ailleurs. Cette fadeur contribue à la monotonie des espaces et prive notre vie quotidienne d'une source appréciable de richesse et de variété. Elle affecte également le fonctionnement de la mémoire dans la mesure où les odeurs ont le pouvoir d'évoquer des souvenirs beaucoup plus profonds que les images ou les sons. Etant donné le sous-développement olfactif des Américains, il ne nous semble pas inutile de passer ici en revue, brièvement, les fonctions de l'odorat dans son activité biologique. A l'origine, ce sens remplissait certainement des fonctions importantes chez l'homme. On peut, à bon droit, se demander lesquelles et si certaines d'entre elles ne demeurent pas pertinentes dans le contexte actuel, bien qu'ignorées ou refoulées par notre culture.

Les bases chimiques de l'olfaction.

L'odeur est à la base d'un des modes les plus primitifs et les plus fondamentaux de la communication. Les mécanismes de l'odorat sont de nature essentiellement chimique, c'est pourquoi on l'appelle aussi « sens chimique ». Parmi ses diverses fonctions, il permet non seulement de différencier les individus mais aussi de déchiffrer leur état affectif. Chez les animaux, l'odorat contribue au repérage de la nourriture, il aide les traînards à retrouver ou à suivre le troupeau ou le groupe et intervient également dans l'établissement du territoire. L'odeur trahit la présence de l'ennemi et peut même servir de moyen défensif, comme dans le cas du skunks. La puissance des odeurs sexuelles est bien connue de ceux qui ont vécu à la campagne et vu une chienne en chaleur attirer les mâles à des kilomètres à la ronde. D'autres animaux ont également un sens olfactif bien développé : le papillon du ver à soie, par exemple, peut repérer son partenaire à une distance de cinq ou six kilomètres ; le cafard possède de même un odorat phénoménal : l'équivalent de trente molécules de substance sexotrope femelle suffisent à exciter le mâle, à lui faire dresser les ailes et tenter de copuler. D'une façon générale, les odeurs sont intensifiées dans les milieux à forte densité, comme l'eau de mer, mais agissent avec moins d'efficacité dans les milieux plus légers. C'est de toute évidence l'odorat qui guide le saumon à travers l'océan durant des milliers de kilomètres, qui le ramène au torrent du frai. Dans les milieux à densité faible, comme l'air, l'odorat est supplanté par la vue (il serait en effet totalement inefficace dans le cas d'un aigle planant à trois cents mètres à la recherche d'une souris). Bien que la communication, sous différents types, constitue une fonction majeure de l'odorat, il n'est généralement pas conçu comme un système de signaux et messages. C'est seulement depuis peu que l'on connaît les rapports entre l'olfaction (fonction exocrinologique) et les régulateurs chimiques du corps (fonction endocrinologique).

L'étude approfondie des travaux concernant les régulateurs internes montre que la communication chimique est particulièrement propre à susciter des réactions hautement sélectives. Ainsi les messages chimiques agissent sous la forme d'hormones sur des cellules spécifiques programmées à l'avance à répondre, tandis que les cellules immédiatement voisines ne sont pas affectées. Nous avons déjà étudié les réactions du système endocrinien aux *stress* dans les deux chapitres précédents. En fait, la vie serait absolument impossible pour les organismes évolués si les systèmes de communication chimique hautement différenciés du corps ne travaillaient pas vingt-quatre heures par jour à maintenir les réalisations au niveau des tâches proposées. Les messages chimiques transmis par le corps atteignent une exhaustivité et une précision telles que leur niveau d'organisation et de complexité dépasse de loin ceux d'aucun des systèmes de communication à ce jour créés par l'homme, à titre d'extension, qu'il s'agisse du langage sous toutes ses formes — parlé, écrit, ou mathématique — ou, aussi bien, du traitement des formes d'information diverses par les ordinateurs les plus perfectionnés. Les systèmes d'information chimique du corps possèdent une spécificité et une précision qui leur permettent de doubler parfaitement le corps et d'assurer son fonctionnement dans un très vaste champ de circonstances.

Comme nous l'avons vu dans le chapitre précédent, Bruce et Parkes ont montré que — au moins dans certaines circonstances — les systèmes endocriniens des souris peuvent se trouver en étroite communication, et que *l'olfaction constitue alors le principal canal d'information*. On pourrait citer d'autres exemples, situés plus ou moins haut dans l'échelle évolutive, et où la communication chimique représente un moyen important d'intégration du comportement, quand ce n'est pas le seul.

Ce processus peut être observé même aux niveaux les plus élémentaires de la vie. Ainsi une amibe *(Dictyostelium discoideum)* qui naît sous la forme d'un micro-organisme unicellulaire se maintient à une distance constante des cellules voisines par des moyens chimiques. Dès que la nourriture se fait rare, l'amibe, à l'aide d'une substance chimique appelée acrasine, s'enroule sur elle-même en une tige terminée par une petite boule couverte de spores. A propos de l' « action à distance » et de la façon dont ces amibes socialisées (citées par J. Tyler dans « How Slime Molds Communicate », *Scientific American*, août 1968) s'orientent dans l'espace, le biologiste Bonner écrit : « Nous ne nous préoccupions pas, à l'époque, de ce que les cellules individuelles avaient à se dire les unes aux autres au cours du processus par lequel elles parviennent à réaliser l'unité d'un organisme multicellulaire. Nous nous étions intéressés à ce qu'on pourrait appeler les "conversations" des agrégats de cellules entre eux. En d'autres termes, nous avions élevé le problème de la communication, du niveau de la cellule au niveau d'organismes pluri-cellulaires. Il nous apparaît maintenant que le même principe de communication est à l'œuvre aux deux niveaux. »

Bonner et ses collègues ont montré que les agrégats d'amibes sont situés à des distances régulières les uns des autres. Le mécanisme de leur espacement est régi par un gaz produit par la colonie et qui empêche la concentration excessive des amibes, en limitant la population à une densité plafond de deux cent cinquante cellules par millimètre cube d'air. Bonner parvint à élever expérimentalement cette densité en plaçant du charbon de bois actif dans le voisinage des colonies de cellules. Le charbon absorba le gaz tandis que la densité s'élevait corrélativement, mettant ainsi en évidence l'un des plus simples et des plus élémentaires de tous les systèmes de contrôle démographique. Il existe une grande variété de messages chimiques. Certains agissent même dans la durée et peuvent avertir les individus qui lui succèdent en un lieu du sort de leur prédécesseur. Hediger raconte comment, à l'approche d'un point où un membre de leur espèce a été récemment effrayé, des rennes prendront la fuite aussitôt perçue l'odeur sécrétée par les glandes du sabot du renne effrayé. Hediger cite également les expériences de von Frisch, qui a découvert qu'un liquide extrait

de la peau du vairon provoquait des réactions de fuite chez
les membres de la même espèce. En discutant le problème
des messages olfactifs avec un psychanalyste dont la réussite en tant que praticien était exceptionnelle, j'appris qu'il
pouvait clairement détecter l'odeur de la colère chez ses
patients à une distance d'au moins deux mètres. Les individus en contact avec les schizophrènes ont depuis longtemps signalé leur odeur caractéristique. Ces observations
empiriques sont à l'origine des expériences qui ont permis
au docteur Kathleen Smith, psychiatre à Saint-Louis, de
prouver que les rats distinguent facilement l'odeur d'un
schizophrène de celle d'un non-schizophrène. Devant la puissance des systèmes de messages chimiques, on peut se
demander si les états de peur, de colère et de panique
schizophréniques ne risquent pas d'agir directement sur le
système endocrinien des individus qui en sont les témoins.
Il est permis de penser que c'est bien le cas.

L'odorat chez les humains.

Voyageant à l'étranger, les Américains se récrieront volontiers sur l'odeur tenace des eaux de Cologne employées par
les hommes des régions méditerranéennes. Du fait de leur
appartenance à la tradition culturelle de l'Europe septen-
trionale, ces Américains seront difficilement objectifs en ces
matières. Ainsi, montant dans un taxi, ils sont littéralement
saisis par la présence inéluctable du chauffeur dont l'aura
olfactive emplit la voiture.

Les Arabes, eux, reconnaissent en fait une corrélation
entre l'humeur d'une personne et son odeur. Les entre-
metteurs qui arrangent les mariages arabes observent de
grandes précautions pour assurer des unions assorties. Il
peut même, à l'occasion, leur arriver de demander à sentir
la jeune fille. Si « elle ne sent pas bon », ils la refuseront,
non sur la base d'arguments esthétiques, mais parce qu'ils
auront détecté sur la jeune fille une odeur résiduelle de
colère ou de mécontentement. Baigner autrui de son haleine
est une pratique courante des pays arabes. L'Américain

apprend, au contraire, à ne pas projeter son haleine sur autrui. C'est pourquoi un Américain est gêné lorsqu'il se trouve dans le champ olfactif d'une personne avec qui il n'est pas en relations intimes, surtout dans les lieux publics. Il est saisi par l'intensité et le caractère sensuel de cette expérience qui l'empêche à la fois de prêter attention à ce qui lui est dit, et de maîtriser ses propres sentiments. Bref, il est placé entre deux exigences contraires qu'il ne peut affronter simultanément. Ce désaccord entre les systèmes olfactifs américain et arabe a, de part et d'autre, des répercussions qui vont bien au-delà de la gêne ou du déplaisir. Nous reviendrons sur ce sujet plus à loisir dans le chapitre XII qui traite des contacts entre cultures arabe et américaine. En bannissant, à quelques exceptions près, toutes les odeurs de notre vie publique, à quoi avons-nous abouti — et en particulier quel a été l'effet de cette attitude sur la vie urbaine des Etats-Unis ?

En adoptant la tradition de l'Europe du Nord, les Américains se sont privés d'un puissant instrument de communication : l'olfaction. Nos villes manquent de diversité à la fois sur le plan olfactif et sur le plan visuel. Au contraire, quiconque parcourt les rues de pratiquement n'importe quels ville ou village européens est assailli d'indications variées. Pendant la Deuxième Guerre, en France, j'ai constaté que l'arôme du pain français, frais sorti du four à 4 heures du matin, pouvait faire arrêter net une jeep en pleine course. Le lecteur chercherait en vain aux Etats-Unis une odeur qui aurait des effets comparables. Dans une ville de France, on pourra savourer le parfum du café, des épices, des légumes, des volailles fraîchement plumées, de la lessive, ainsi que l'odeur caractéristique des terrasses de café. Des sensations olfactives de ce type contribuent à créer une impression de vie ; et les passages et transitions d'une odeur à l'autre ne servent pas seulement de points de repère aux habitants mais ajoutent du piquant à la vie quotidienne.

5

La perception de l'espace
les récepteurs immédiats :
peau et muscles

Une grande partie de la réussite architecturale de Frank
Lloyd Wright tient au fait qu'il a reconnu la diversité qui
caractérise les individus dans leur expérience de l'espace.
Ainsi le vieil hôtel impérial de Tokyo offre[1] à l'Occidental
le permanent rappel visuel, kinesthésique et tactile, d'un
monde étranger. Les changements de niveaux, l'intimité des
escaliers circulaires qui mènent aux étages supérieurs, et
l'échelle réduite de l'ensemble, constituent une série d'expériences nouvelles. L'échelle des larges halls de réception a
été conservée tout en maintenant les murs à portée de la
main. Véritable artiste pour le choix des textures, Wright
assembla les briques les plus rugueuses avec un ciment doux
et doré, épais d'un centimètre au moins. En descendant les
degrés de ces halls, le visiteur est pratiquement contraint de
passer les doigts dans le creux des briques. Pourtant ce
n'était point là l'objectif de Wright. La brique est, en effet,
si rugueuse qu'on risque de s'y écorcher la peau. Wright

1. Chef-d'œuvre de Wright, l'hôtel impérial a été démoli par les
Japonais en 1967, malgré les protestations venues du monde entier
(N.d.T.).

visait simplement à magnifier l'expérience de l'espace en provoquant une relation personnelle directe du visiteur avec les surfaces de l'édifice.

Les anciens architectes japonais avaient manifestement entrevu la connexion de l'expérience kinesthésique et de l'expérience visuelle de l'espace. Manquant de vastes horizons et vivant en outre dans la promiscuité, les Japonais ont appris à tirer le meilleur parti des petits espaces. Ils ont fait preuve d'une ingéniosité particulière dans l'art d'agrandir l'espace visuel par une intensification des sensations kinesthésiques [1]. Le visiteur est périodiquement obligé de surveiller ses pas, tandis qu'il cherche son chemin parmi les pierres irrégulièrement espacées qui permettent la traversée d'un étang. A chaque caillou, il lui faut s'arrêter et regarder vers le sol pour découvrir son prochain perchoir. Même les muscles du cou sont délibérément mis à contribution. Levant les yeux, le visiteur est captivé par un spectacle qui se trouve interrompu dès qu'il bouge son pied pour prendre un nouveau point d'appui. A l'intérieur de leurs maisons, les Japonais dégagent le pourtour des pièces car ils concentrent leurs activités au centre de celles-ci. Les Européens ont la tendance inverse et disposent les meubles près des murs ou contre eux. C'est pourquoi les pièces occidentales semblent souvent moins encombrées aux Japonais qu'à nous.

Les Japonais comme les Européens ont une conception de l'espace vécu différente de la nôtre, qui est beaucoup plus limitée. Aux Etats-Unis, l'espace considéré comme nécessaire à un employé de bureau se borne à l'espace dont il a effectivement besoin pour accomplir son travail. Tout ce qui excède ce minimum est considéré comme superflu.

L'idée qu'il puisse y avoir des besoins supplémentaires au-delà de ces exigences de base se heurte à une résistance qui est due au moins en partie à la méfiance des Américains

---

1. Leurs jardins ne sont pas conçus pour être appréhendés seulement par la vue : un nombre peu commun de sensations musculaires participe à la saisie d'un jardin japonais au cours d'une promenade.

à l'égard de l'information fournie par la subjectivité. On peut mesurer avec un mètre la portée d'un bras, mais il faut avoir recours à un ensemble de critères totalement différents lorsqu'il s'agit d'apprécier les réactions d'un individu qui se sent « à l'étroit ».

LES ZONES SECRÈTES DES BUREAUX AMÉRICAINS

La minceur de l'information concernant la genèse de ces impressions subjectives m'a amené à entreprendre une série d'interviews « non dirigées » sur les réactions individuelles à l'espace du bureau. Ces interviews ont montré que le seul critère essentiel dans l'estimation de cet espace était celui des obstacles physiques qui peuvent gêner les employés dans leurs activités. Un de mes sujets était une femme ayant occupé une série de bureaux de dimensions différentes. Après avoir accompli le même travail pour la même société dans ces divers bureaux, elle remarquait que selon les cas son expérience de l'espace avait été tantôt satisfaisante, tantôt frustrante. En faisant avec elle l'analyse détaillée de ses réactions, nous découvrîmes qu'elle avait l'habitude très répandue d'écarter sa chaise de son bureau pour s'étirer, bras, jambes, et colonne vertébrale. Je pus observer qu'à chaque fois la distance entre bureau et chaise demeurait constante et qu'en fait elle déclarait le bureau trop petit si en s'étirant son dos touchait le mur. Dans le cas contraire, le bureau lui semblait assez vaste.

L'analyse des interviews de cent Américains démontre l'existence virtuelle de trois zones « mentales » dans les bureaux américains :

1. La surface immédiate de travail comprenant le dessus du bureau et la chaise.

2. Un ensemble de points situés à portée de bras de cette surface.

3. Les espaces définis par la limite que l'on peut atteindre en s'écartant de son bureau, pour prendre un peu de dis-

tance par rapport à son travail, sans réellement se lever.

Une pièce permettant seulement de se mouvoir dans la première zone est vécue comme contraignante. Un espace de bureau permettant de se mouvoir dans la seconde est considéré comme « exigu ». Celui qui permet l'accès à la troisième zone est considéré comme convenable, et même vaste, dans certains cas.

L'espace kinesthésique est un facteur important dans l'usage quotidien des édifices que créent architectes et designers. Prenons le cas des hôtels américains. Pour ma part, je trouve la plupart des chambres d'hôtel trop petites parce que je ne peux y circuler sans me heurter aux meubles et à l'équipement. Et lorsqu'on demande à des Américains de comparer deux chambres identiques, celle qui permet la plus grande liberté de mouvements variés leur paraîtra généralement la plus vaste. Nous avons de grands progrès à accomplir dans la conception de nos espaces intérieurs pour éviter que les gens ne se gênent mutuellement. Parmi mes sujets, une femme de type « sans contact », d'un caractère généralement enjoué et actif, nous confiait après sa *n*-ième crise de rage provoquée par une cuisine moderne, mais mal conçue : « J'ai horreur qu'on me touche, ou qu'on me heurte, même s'il s'agit de mes proches. C'est pourquoi cette cuisine me rend malade quand j'essaie d'y faire le dîner et que j'ai toujours quelqu'un dans les jambes. »

Compte tenu des variations considérables que l'on constate dans les besoins en espace au niveau individuel comme au niveau culturel (voir chapitres X-XI et XII), on peut néanmoins émettre quelques principes généraux concernant les facteurs de différenciation des espaces. Très schématiquement, c'est ce qu'on peut y accomplir qui détermine la façon dont un espace donné est vécu. Une pièce que l'on traverse en une ou deux enjambées offre une tout autre expérience de l'espace qu'une pièce qui en exige quinze ou vingt. De même, l'impression sera tout à fait différente selon qu'on pourra toucher le plafond ou qu'il aura quatre mètres de haut. Lorsqu'il s'agit au contraire de vastes espaces extérieurs, la façon dont ils sont vécus et ressentis dépend de la façon dont on peut ou non les parcourir. L'attrait de la place San Marco à Venise ne s'explique pas seulement par ses dimensions et proportions, mais par le fait qu'elle puisse être intégralement explorée à pied.

L'ESPACE THERMIQUE

L'information reçue par les récepteurs à distance (yeux, oreilles, nez) joue un rôle si important dans notre vie quotidienne que bien peu d'entre nous songeraient à considérer la peau comme un organe sensoriel majeur. Pourtant, sans la faculté de percevoir le chaud et le froid, les organismes vivants, homme compris, périraient rapidement. On mourrait de froid en hiver et de chaleur en été. On néglige aussi couramment certaines facultés perceptives (et informatives) de la peau, d'un niveau plus subtil. Ces activités sont également liées à la perception humaine de l'espace.

Les nerfs propriocepteurs informent en permanence l'individu de ce qui se passe quand il fait jouer ses muscles. Ils fournissent le « feedback » qui permet à l'homme de se mouvoir harmonieusement et remplissent une fonction de première importance dans la perception kinesthésique de l'espace. Un autre groupe de nerfs, les extériocepteurs, localisés sous la peau, transmettent les sensations de chaud, de froid, de toucher, et de douleur au système nerveux central. L'existence de ces deux systèmes de nerfs différents ferait normalement conclure à une différence qualitative entre espace kinesthésique et espace thermique. Tel est effectivement le cas, bien que les deux systèmes agissent en corrélation l'un avec l'autre et se prêtent un appui mutuel la plupart du temps.

C'est récemment seulement qu'on a découvert certaines fonctions remarquables de la peau sur le plan thermique. La faculté qu'a la peau d'émettre et de détecter les rayons infrarouges paraît si extraordinairement développée qu'elle a sûrement, dans le passé, contribué de façon importante à la survie de l'homme et joue encore un rôle aujourd'hui.

En ce qui concerne son état émotif, l'homme est équipé d'un double système émetteur et récepteur qui fonctionne par modifications thermiques de la peau dans différentes régions du corps. Les états émotifs se traduisent aussi par des modifications du flux sanguin dans les diverses parties du corps. Chacun sait interpréter visuellement l'image d'une personne qui rougit ; mais étant donné que les Noirs rougissent aussi, il est évident que ce phénomène ne se résout pas dans un simple changement de coloration dermique. L'observation attentive d'individus à peau fortement pigmentée révèle, lorsqu'ils se trouvent dans des états de gêne ou de colère, un gonflement des vaisseaux sanguins dans la région des tempes et du front. L'afflux de sang provoque naturellement une élévation de température dans la zone qui a « rougi ».

Des instruments nouveaux ont rendu possible l'étude de l'émission thermique et devraient finalement permettre d'aborder sous cet angle le domaine, à ce jour inaccessible à l'observation directe, de la communication interpersonnelle. Ces instruments sont des détecteurs et enregistreurs photographiques (thermographes) d'infrarouges, initialement mis au point pour les satellites et les fusées téléguidées. Les appareils thermographes s'appliquent à la perfection à l'enregistrement des données infravisuelles. Dans un article de *Science*, R.D. Barnes a indiqué les conclusions remarquables qu'on peut tirer de photographies prises dans l'obscurité, en utilisant la chaleur irradiée par le corps humain. Ainsi la couleur de la peau n'a pas d'action sur la quantité de chaleur émise ; les peaux noires n'émettent ni plus ni moins de chaleur que les peaux claires. L'agent réel de l'émission thermique c'est la quantité de sang en circulation dans une région donnée du corps. Le témoignage des instruments confirme celui de notre toucher, selon lequel toute partie enflammée du corps a une température supérieure de plusieurs degrés à celle des régions voisines. Certains blocages de la circulation sanguine et certaines maladies (dont le cancer du sein chez la femme) peuvent être diagnostiqués à l'aide des techniques thermographiques.

Un individu peut percevoir l'élévation thermique de la surface du corps chez un autre individu de trois manières : d'abord par les détecteurs thermiques cutanés, si les deux sujets sont suffisamment rapprochés ; en second lieu par hyperesthésie olfactive (les parfums et les lotions se sentent de plus loin lorsque la température de la peau s'élève) ; enfin par l'examen visuel.

Dans ma jeunesse j'avais souvent remarqué, lorsque je dansais, que non seulement certaines de mes partenaires étaient plus chaudes ou froides que la moyenne, mais que la température d'une même jeune fille se modifiait de temps en temps. C'était toujours au moment où j'entreprenais une comptabilité thermique qui m'intéressait sans que je susse vraiment pourquoi, que ces jeunes personnes suggéraient inévitablement qu'il était temps de « sortir prendre l'air ». Dans l'étude de ce phénomène, des années plus tard, je signalai ces variations thermiques à plusieurs sujets féminins qui me dirent les connaître fort bien. Une femme prétendait qu'elle pouvait même dire l'état affectif de son « boy friend » jusqu'à près de deux mètres de distance dans le noir. Elle ajoutait qu'elle pouvait repérer le moment où soit la colère soit le désir allait l'emporter. Une autre s'inspirait des variations thermiques de ses danseurs pour prendre éventuellement les mesures défensives nécessaires avant que « les choses n'aillent trop loin ».

Ces observations pourraient faire sourire si leur intérêt ne se trouvait confirmé par le travail d'un de nos plus sérieux sexologues. Dans une communication présentée en 1961 à l'American Anthropological Association, W.M. Masters montrait à l'aide de diapositives en couleur que l'élévation de la température sur la peau de l'abdomen est l'une des toutes premières indications de l'excitation sexuelle. En soi, le rougissement du visage dans la colère ou l'embarras, la tache rouge entre les yeux indicatrice du « feu intérieur », la transpiration des paumes et les « sueurs froides » de la peur ou encore l'embrasement de la passion, n'ont guère qu'une valeur anecdotique. Mais à la lumière de nos connaissances concernant le comportement des formes moins élevées de la vie, ils apparaissent comme les vestiges significatifs de manifestations — des fossiles du comportement, pourrait-on dire — qui servaient originellement à communiquer avec autrui.

Cette interprétation est rendue encore plus plausible par l'hypothèse de Hinde et Tinbergen selon laquelle, chez les oiseaux, la parade dépend des mêmes mécanismes nerveux que l'utilisation des plumes pour le refroidissement ou le réchauffement du corps. Il semble que le processus soit le suivant : en présence d'un autre mâle, un oiseau mâle se met en colère, ce qui déclenche l'émission d'un ensemble élaboré de messages (endocriniens et nerveux) vers différentes parties du corps, préparant l'animal au combat. Une des nombreuses modifications subies par l'organisme à ce moment est l'élévation de la température qui fait à son tour gonfler les plumes de l'oiseau comme sous l'effet d'une chaude journée d'été.

Ce mécanisme est très proche de celui des thermostats qui, sur les premières voitures, ouvraient ou fermaient les volets du radiateur selon que le moteur était chaud ou froid.

La température est un facteur important dans la façon dont nous vivons l'expérience de la foule et de l'entassement. Une sorte de réaction en chaîne s'installe dès qu'il n'y a pas assez d'espace pour dissiper la chaleur d'une foule et qu'on sent cette chaleur monter. Pour obtenir le même niveau de confort et le même sentiment d'absence de promiscuité, une masse d'individus aura besoin de plus d'espace si elle a chaud. J'en ai personnellement fait l'expérience avec ma famille lors d'un voyage en avion à destination de l'Europe. A la suite d'une série de retards, nous avions été obligés de former une longue file d'attente. Finalement on transféra notre file du hall climatisé de l'aérogare à l'extérieur, en pleine chaleur. Bien que les voyageurs ne fussent pas plus proches les uns des autres, la sensation de foule devint alors beaucoup plus perceptible. Or, le facteur important qui avait changé, était la température. Lorsque les sphères thermiques interfèrent et que les individus peuvent aussi se

sentir mutuellement, non seulement ils sont beaucoup plus
concernés les uns par les autres, mais si l'effet de Bruce
mentionné au chapitre III a un sens pour les humains, il
peut même leur arriver de se trouver sous l'influence chimique de leurs émotions réciproques. Parmi mes sujets,
plusieurs exprimaient le sentiment de nombreux peuples
« sans contact » (ceux qui évitent de toucher les étrangers)
en disant qu'ils détestaient s'asseoir immédiatement après
quelqu'un d'autre sur une chaise tapissée. Dans les sous-
marins, les membres de l'équipage se plaignent souvent de
ce qu'ils appellent « la couchette chaude », la pratique de la
couchette pour deux, occupée sans interruption par la relève
d'une garde à l'autre. Nous ne savons pas pourquoi la
chaleur d'un étranger nous paraît si désagréable, alors que
la nôtre ne nous gêne pas. Peut-être est-ce dû au fait que
l'homme est extrêmement sensible aux faibles écarts de
température. L'individu semble avoir des réactions négatives
quand il se trouve placé dans des conditions thermiques
non familières.

Le fait que nous soyons (ou non) conscients des nombreux
messages que nous fournissent nos récepteurs thermiques
pose certains problèmes à l'homme de science. Le processus
est plus complexe qu'il n'apparaît d'abord. Ainsi, par exemple, les sécrétions de la thyroïde altèrent la sensibilité au
froid ; l'hypothyroïdie rend frileux, tandis que l'hyperthy-
roïdie produit l'effet inverse. Le sexe, l'âge et la chimie
individuelle entrent également en ligne de compte. Au niveau
neurologique, la régulation thermique est localisée au centre
du cerveau et contrôlée par l'hypothalamus. Mais les facteurs culturels affectent également les attitudes à l'égard de
la température. Comme Freud et ses disciples l'ont observé,
notre propre culture tend à mettre en évidence les faits
qu'elle peut contrôler et à nier ceux qu'elle ne contrôle pas.
La chaleur corporelle est hautement personnalisée ; elle est
associée pour nous à l'intimité comme aux expériences de
l'enfance.

La langue anglaise est riche en expressions telles que « hot
under the collar », « a cold stare », « a heated argument »,

« he warmed up to me »[1]. Ma pratique de la proxémie me permet de penser que ces expressions sont plus que de simples figures de style. Il semble bien que la perception des changements de température chez soi et chez les autres constitue un phénomène si général qu'il est devenu partie intégrante du *langage*.

Pour vérifier l'existence de cette sensibilité de l'homme à l'égard de ses propres états et de ceux des autres, une méthode complémentaire consistera à expérimenter sur soi-même. Ainsi, en cultivant ma propre sensibilité à ces phénomènes, j'ai découvert que la peau est, à distance, une source d'information dont je n'avais jamais imaginé la fidélité. Par exemple, je me souviens d'un dîner où l'invité d'honneur discourait, concentrant l'attention générale. Tout en l'écoutant attentivement, je pris conscience que quelque chose m'avait contraint à retirer ma main de la table, comme par réflexe. Personne ne m'avait touché, et pourtant un stimulus inconnu avait déterminé ce mouvement de retrait involontaire et qui m'avait surpris. Je remis ma main sur la table, à sa place antérieure. Je remarquai alors la main de ma voisine, reposant sur la nappe. Et je me souvins d'avoir vaguement perçu dans mon champ visuel l'image de cette femme posant sa main sur la table tandis qu'elle écoutait l'orateur. Mon poignet s'était trouvé dans son champ de rayonnement thermique qui atteignait en l'occurrence plus de six centimètres. Dans d'autres cas, il m'est arrivé de percevoir parfaitement à des distances de vingt-huit à quarante-cinq centimètres la chaleur du visage de sujets qui se penchaient au-dessus de moi pour examiner un tableau ou un livre.

---

1. Si « hot under the collar » (littéralement « avoir chaud sous le col », employé pour désigner les états où la gêne provoquée par un impair ou une situation inconfortable, s'accompagne d'un sentiment de gêne et de chaleur dans la région de la face et du cou) n'a pas d'équivalent français, il n'en est pas de même pour « a cold stare » (un regard froid), « a heated argument » (une discussion enflammée), « he heated up to me » (ses sentiments se réchauffèrent). Le français abonde en métaphores de ce type (accueil glacial ou chaleureux, regards brûlants, etc.) *(N.d.T.)*.

Le lecteur peut facilement tester sa propre sensibilité thermique. Les lèvres et le dos de la main produisent une grande quantité de chaleur : il suffit de placer le dos de la main devant le visage et de la déplacer lentement de bas en haut, à des distances variables, pour déterminer le seuil de détection de la chaleur.

Les aveugles sont des sujets précieux pour étudier la sensibilité à la chaleur irradiée. Ils ne sont néanmoins pas conscients de la spécificité de cette sensibilité et n'en parlent pas avant que leur attention n'ait été explicitement attirée sur leurs sensations thermiques. Telle a été la conclusion d'une série d'interviews menées par un psychiatre (le docteur Warren Brodey) et moi-même. Nos recherches concernaient l'usage que les aveugles font de leurs sens. Au cours des entretiens, les sujets avaient mentionné les courants d'air autour des fenêtres et noté l'importance des fenêtres pour les déplacements des aveugles auxquels elles permettent à la fois de s'orienter et de conserver un contact avec le milieu extérieur. Nous étions donc justifiés à penser que l'aisance avec laquelle circulaient ces aveugles ne tenait pas seulement à une hypertrophie de l'ouïe. Au cours de séances ultérieures avec le même groupe, nous avons relevé de nombreux cas où la chaleur irradiée par les objets n'avait pas été seulement perçue, mais utilisée comme adjuvant pour circuler. Ainsi un mur de briques bordant le côté nord d'une certaine rue constituait un repère pour les aveugles parce qu'il irradiait de la chaleur sur toute la largeur du trottoir.

L'ESPACE TACTILE

Les expériences tactile et visuelle de l'espace sont si intimement associées qu'il est impossible de les séparer. Pour s'en convaincre, il suffit d'évoquer la façon dont les bébés et les jeunes enfants saisissent, tripotent et portent à la bouche tout ce qu'ils rencontrent et de songer au nombre d'années d'apprentissage qui leur sont nécessaires pour parvenir à subordonner le monde tactile au monde visuel. A propos de la perception de l'espace, Braque introduisait la distinction suivante entre les deux formes d'espace : l'espace « tactile » sépare l'observateur des objets, alors que l'espace « visuel » sépare les objets les uns des autres. Soulignant la différence entre ces deux types d'espace et leurs rapports avec l'*expérience* globale de l'espace, il indiquait que la perspective « scientifique » n'est qu'un trompe-l'œil — fâcheuse tromperie — qui empêche l'artiste de rendre l'expérience de l'espace dans sa plénitude.

Le psychologue James Gibson lie également vision et toucher : pour lui, dès l'instant où nous les considérons tous deux comme des canaux d'information impliquant chez le sujet une investigation active des deux sens, la richesse des impressions sensorielles ne manque pas d'être accrue. Gibson distingue d'ailleurs un toucher actif (exploration tactile) et un toucher passif (le fait d'être touché). Il rapporte des expériences au cours desquelles le toucher actif permettait aux sujets de reproduire avec 95 % d'exactitude des objets abstraits dissimulés à la vue. Le toucher passif ne permettait que 49 % d'exactitude.

Dans un article de l'*International Journal of Psychoanalysis*, Michel Balint décrit deux mondes perceptifs différents, l'un *orienté par la vue*, l'autre *par le toucher*. Pour Balint, celui-ci est plus immédiat et plus accueillant que le monde orienté par la vue, dans lequel l'*espace* aussi est accueillant mais rempli d'objets dangereux, aux réactions imprévisibles (les gens).

Malgré toutes les connaissances concernant la peau comme système d'information, les designers et ingénieurs n'ont pas su reconnaître la signification fondamentale du toucher, et en particulier du toucher actif. Ils n'ont pas compris combien il importe de maintenir le contact de l'individu avec le monde où il vit. Les monstres automobiles aux larges assises dont Detroit encombre nos routes en sont un exemple. Leur gigantisme, le confort de leurs sièges, la douceur de leur suspension et leur climatisation contribuent à faire de chacun de leurs voyages une expérience de frustration sensorielle. Les voitures américaines sont conçues pour réduire au minimum la présence physique de la route. Une grande partie du plaisir qu'on éprouve dans les voitures de sport ou les bonnes voitures de tourisme européennes réside dans l'impression de contact réel avec le véhicule comme avec la route. Pour beaucoup d'amateurs, l'un des attraits de la navigation à voile consiste dans le jeu simultané des registres visuel, kinesthésique et tactile. Un de mes amis me disait qu'à moins de tenir la barre en main, il ne « sentait » pas son bateau. De toute évidence, la voile apporte à ses nombreux adeptes la redécouverte du sentiment de contact avec les choses, expérience que nous refuse une vie toujours plus protégée et davantage régie par l'automation.

Dans les situations catastrophiques, le besoin d'éviter un contact physique peut être crucial. Je ne vise pas ici les conditions d'entassement critique qui induisent le désastre, comme celle des galères avec leurs espaces de 0,1 m² à 0,8 m² par personne, je songe en fait à des situations considérées comme « normales », dans les métros, les ascenseurs, les abris antiaériens, les hôpitaux et les prisons. La plupart des données utilisées pour établir des critères d'entassement ne sont pas recevables parce qu'empruntées à des cas extrêmes. En l'absence de moyens d'évaluation scientifiques, les travaux sur l'entassement retombent toujours sur les cas extrêmes qui conduisent à la folie ou à la mort. Or, à mesure que progresse l'investigation sur l'homme et l'animal, la peau elle-même se révèle comme une frontière (ou une jauge) bien peu satisfaisante. Comme les molécules en mouvement qui constituent toute matière, les êtres vivants se déplacent et exigent des quantités d'espace plus ou moins déterminées. Le zéro absolu au bas de l'échelle est atteint lorsque les individus sont serrés au point que le mouvement ne soit plus possible. Au-dessus de ce point, les contenants qui reçoivent l'homme pourront soit lui permettre de se mouvoir librement soit l'obliger à jouer des coudes, à pousser et bousculer les autres. Les réactions de l'individu aux bousculades et par là même aux espaces clos dépen-

dent de la façon dont il tolère le contact des étrangers.
Deux groupes dont j'ai une certaine connaissance — les
Japonais et les Arabes — ont une beaucoup plus grande
tolérance à l'entassement dans les lieux publics et dans les
moyens de transport que les Européens du Nord ou les
Américains. Pourtant, Arabes et Japonais semblent beaucoup
plus exigeants que les Américains en ce qui concerne la
qualité des espaces où ils habitent. Les Japonais en particulier consacrent beaucoup de temps et d'attention à l'organisation de leur espace domestique en vue de la participation
de tous les sens à sa perception.

La texture — dont j'ai très peu parlé jusqu'ici — est jugée
et appréciée presque entièrement par le toucher, même si
elle est offerte à la vue. A de rares exceptions près (dont
nous parlerons plus loin), c'est le souvenir d'expériences
tactiles qui nous permet d'apprécier la texture. Jusqu'à
présent, seuls quelques designers ont accordé de l'importance à la texture ; en architecture son usage est essentiellement le fruit du hasard et de l'incohérence. En d'autres
termes, qu'il s'agisse de l'extérieur ou de l'intérieur des
bâtiments, les textures sont rarement utilisées de façon
délibérée avec la conscience de leur impact psychologique
ou social.

Comme le montrent clairement les objets qu'ils produisent, les Japonais sont beaucoup plus sensibles à la signification de la texture. Dans une coupe qui est lisse et agréable
au toucher, l'artisan exprime l'intérêt qu'il porte à la fois
à l'objet, à son futur utilisateur mais également à soi-même.
Le fini des bois polis produits par les artisans du Moyen
Age traduisait aussi l'importance qu'ils attachaient au toucher. De tous nos sens, le toucher est le plus personnel.
Pour beaucoup, les moments les plus intimes de la vie sont
associés aux changements de texture de la peau. La résistance au contact importun qui raidit la peau comme une
armure, les textures excitantes et sans cesse changeantes
de la peau pendant l'amour, et le velouté de la satisfaction
qui le suit : autant de messages d'un corps à un autre et
qui ont une signification universelle.

Les rapports que l'homme entretient avec son environnement dépendent à la fois de son appareil sensoriel et de la façon dont celui-ci est conditionné à réagir. Aujourd'hui, l'image inconsciente que nous pouvons avoir de nous-mêmes — la vie que chacun d'entre nous mène, dans son déroulement quotidien — est construite à l'aide de ces informations sensorielles fragmentaires, tirées d'un environnement en grande partie préfabriqué. Une analyse des récepteurs immédiats montre d'abord que les Américains qui habitent les villes ou les banlieues ont de moins en moins l'occasion d'une expérience active de leur corps, ou des espaces qu'ils occupent. Nos espaces urbains sont peu stimulants à l'œil, offrent peu de variété visuelle et ne se prêtent pratiquement pas à l'élaboration d'un répertoire kinesthésique sur la base d'une expérience de l'espace. En fait, il semble que beaucoup d'individus soient frustrés sur le plan kinesthésique et se sentent même comme entravés. L'automobile renforce encore ce processus d'aliénation qui nous rend étrangers à la fois à notre corps et à notre environnement. On a le sentiment que l'automobile est en guerre contre la ville et peut-être contre l'humanité même.

L'extrême sensibilité de la peau aux changements de température et de texture nous apporte deux facultés sensorielles supplémentaires, dont le rôle ne consiste pas seulement à signaler à l'individu les changements affectifs survenant chez autrui, mais aussi à lui fournir sur son environnement une information d'une nature particulièrement personnelle. Chez l'homme, le sentiment de l'espace est lié au sentiment du moi qui est à son tour en relation intime avec son environnement. Ainsi, certains aspects de la personnalité liés à l'activité visuelle, kinesthésique, tactile, thermique, peuvent voir leur développement inhibé ou au contraire stimulé par l'environnement.

6

L'espace visuel

Le sens de la vue, le dernier qui soit apparu chez l'homme, est aussi de beaucoup le plus complexe. Les yeux fournissent au système nerveux une beaucoup plus grande quantité d'information que le toucher ou l'ouïe et selon un débit beaucoup plus rapide. L'information recueillie par un aveugle à l'extérieur est limitée à un champ d'un rayon de six à trente mètres. Avec la vision, il atteindrait les étoiles. Dans leurs déplacements, les aveugles les plus doués sont réduits à ne jamais dépasser la vitesse de trois à cinq kilomètres/heure en terrain familier. L'homme qui voit ne commence à avoir besoin d'être aidé pour éviter les obstacles qu'après avoir dépassé la vitesse du son. Au-delà de Mach 1, les pilotes doivent être avertis de la présence d'autres avions avant de pouvoir les voir. En effet, si deux avions se trouvent sur une même trajectoire à ces vitesses, ils n'ont pas le temps d'éviter la collision.

L'œil remplit beaucoup de fonctions chez l'homme. Il lui permet entre autres :

1. D'identifier à distance des aliments, des personnes amies, la nature de nombreux matériaux.

2. De se mouvoir sur toutes sortes de terrains en évitant les obstacles et les dangers.

3. De fabriquer des outils, de soigner son corps et celui des autres, de se renseigner sur l'état affectif d'autrui.

Les yeux passent en général pour la source majeure d'information que possède l'homme. Mais si importante que soit leur fonction de « pourvoyeurs » d'information, nous ne devons pas méconnaître leur rôle informatif propre. Car un regard peut aussi punir, encourager ou établir une domination. La taille même des pupilles peut traduire l'intérêt ou le dégoût.

LA VISION COMME SYNTHÈSE

Une des clefs de voûte de la compréhension de l'homme réside dans la reconnaissance des synthèses qu'à certains moments critiques il opère sur l'expérience. En d'autres termes, l'homme apprend en voyant, et ce qu'il apprend retentit à son tour sur ce qu'il voit. Ce qui explique la puissance d'adaptation de l'homme et le parti qu'il tire de son expérience passée. Si l'homme ne tirait pas enseignement de l'usage de la vue, il se laisserait, par exemple, toujours abuser par les camouflages devant lesquels il demeurerait sans défense. Sa faculté de les percer à jour prouve que l'expérience lui apprend à modifier sa perception. Toute étude de la vision doit distinguer entre l'image rétinienne et la perception. James Gibson, le distingué psychologue de l'université de Cornell, à qui je me référerai fréquemment au cours de ce chapitre, a dans ses travaux dénommé la première : « champ visuel » et la seconde : « monde visuel ». Le champ visuel est constitué par des structures lumineuses sans cesse changeantes — enregistrées par la rétine — dont l'homme se sert pour construire son monde visuel. Le fait que l'homme distingue, sans le savoir, entre les impressions sensibles qui excitent la rétine et ce qu'il voit effectivement, laisse supposer que des données sensorielles d'autre provenance servent à corriger le champ visuel. Le lecteur trouvera

une description détaillée des différences fondamentales entre
champ et monde visuels dans l'ouvrage majeur de Gibson,
The Perception of the Visual World.

Au cours de ses déplacements (dans l'espace), l'homme a
besoin des messages de son corps pour assurer la stabilité
de son monde visuel. A défaut de cette information « corporelle », un grand nombre d'individus perdent contact avec
la réalité et tombent dans l'hallucination. Le rôle joué par
l'intégration des deux expériences, visuelle et kinesthésique,
a été mis en évidence par deux psychologues, Held et Heim,
au cours de l'expérience suivante : ils portaient une série
de jeunes chats à travers un labyrinthe tandis qu'une autre
série était admise à suivre le même parcours par leurs
propres moyens. Les chatons qui avaient été portés ne
parvinrent pas à développer des « capacités visuelles spatiales normales » et jamais ils n'apprirent comme les autres
à trouver leur chemin dans le labyrinthe. Albert Ames, ainsi
que d'autres psychologues spécialisés dans l'étude des coor-
dinations sensorielles, ont démontré à maintes reprises les
effets correctifs que la vue doit à la kinesthésie. Ainsi, placés
dans une pièce irrégulière qui présentait cependant l'apparence d'un parallélépipède rectangle, des sujets étaient priés
d'atteindre avec un bâton un point situé près d'une fenêtre.
Au cours des premiers essais ils manquaient invariablement
leur objectif. Après avoir progressivement appris à corriger
leur appréciation et à atteindre le but avec l'extrémité du
bâton, ils ne voyaient plus la pièce sous l'apparence d'un
cube mais sous sa forme effectivement tronquée. Un exemple différent, plus subjectif, est celui de l'alpiniste aux yeux
de qui la montagne ne semble jamais la même après son
ascension.

La plupart de ces idées ne sont pas neuves. Il y a
deux cent cinquante ans, l'évêque Berkeley établissait une
partie des fondements conceptuels des théories modernes
de la vision. En dépit de l'opposition qu'une partie d'entre
elles rencontra chez les contemporains, ces théories n'en
étaient pas moins remarquables, en particulier compte tenu
du développement général de la science à l'époque. Berkeley

prétendait en effet que l'homme évalue la distance grâce à l'interrelation de ses sens et à leur intégration dans son expérience passée. Pour lui, « nous ne percevons immédiatement par la vue rien d'autre que la lumière, les couleurs et les formes ; par l'ouïe rien d'autre que des sons ». Il cite l'exemple du fiacre dont on entend le bruit avant de le voir. Selon Berkeley, on « n'entend » pas vraiment le fiacre, mais plutôt des sons que l'esprit a pris l'habitude d'associer aux fiacres. La faculté qu'a l'homme d'induire des détails visuels à partir d'indices auditifs est exploitée au théâtre par le bruiteur. Dans le même sens, Berkeley nie que la distance soit immédiatement vue. Les mots comme « haut », « bas », « à gauche » et « à droite » tirent leurs premières applications de l'expérience kinesthésique et tactile.

« ... Supposons que je perçoive par la vue l'idée obscure et vague de quelque chose dont je ne pourrais dire s'il s'agit d'un homme, d'un arbre ou d'une tour, mais que j'estime se trouver à une distance d'environ 1,5 km de moi. Je ne puis évidemment affirmer que ce que je vois est bien à cette distance, ni qu'il s'agit de l'image ou du simulacre de quelque chose qui se trouve à 1,5 km, puisque à chaque pas qui m'en rapproche son apparence se modifie et que, d'obscure, de petite et de vague, elle devient grande, claire et forte. Et quand j'ai parcouru cette distance, ce que j'avais vu tout d'abord s'est complètement évanoui, et je ne trouve plus rien qui pourrait lui ressembler. »

Berkeley décrivait ainsi le champ visuel introspectif du savant et de l'artiste. Ceux qui le critiquaient fondaient leur jugement sur leurs propres « mondes visuels » structurés par la culture. Comme Berkeley, mais beaucoup plus tard, Piaget insista sur les rapports du corps et de la vision et put dire que « les concepts relatifs à l'espace sont des actions intériorisées ». Toutefois, comme l'a fait remarquer James Gibson, il existe entre la vision et la connaissance du corps (kinesthésie) une relation qui n'a pas été reconnue par Berkeley. La perception de l'espace implique des repères purement visuels, tels que l'élargissement et le rétrécissement du champ visuel selon que le spectateur s'approche ou s'éloigne d'un objet donné. L'explicitation de ces faits constitue l'une des contributions majeures de Gibson à la psychologie.

La nécessité d'élucider plus clairement les processus fondamentaux qui sous-tendent les expériences « subjectives » de l'homme a été reconnue par des savants venus de champs très divers. Les investigations relatives aux informations sensorielles montrent que celles-ci ne pourraient produire les effets constatés sans l'intervention d'une synthèse à des niveaux supérieurs du système nerveux central. Paradoxalement, une porte, une maison ou une table conservent toujours à la vue mêmes forme et couleur, malgré les variations de l'angle sous lequel elles sont perçues. Or dès qu'on examine les mouvements de l'œil, on découvre que l'image projetée sur la rétine ne peut jamais être identique, à cause de la mobilité incessante du globe oculaire. Il s'agit alors de découvrir le processus qui permet de percevoir comme fixe ce que la rétine enregistre comme constamment mobile. Le cerveau opère le même type de synthèse dans le cas où un individu écoute une conversation.

Les linguistes nous apprennent que si on enregistre les sons du langage avec une grande fidélité et qu'on tente de les analyser il est souvent difficile de faire apparaître des distinctions précises entre les sons individuels. C'est une expérience courante pour ceux qui voyagent à l'étranger de découvrir qu'ils ne peuvent comprendre une langue apprise dans leur propre pays. Ils ne reconnaissent pas le langage de leur professeur. Expérience qui peut être fort déconcertante. Quiconque s'est trouvé dans une société parlant une langue totalement inconnue sait qu'il n'entend d'abord qu'une cacophonie indifférenciée. Plus tard seulement commence à émerger une grossière ébauche de structure. Pourtant, une fois la langue convenablement apprise, l'étranger s'élève à un niveau de synthèse qui lui permet d'interpréter un champ d'événements extraordinairement vaste. Il comprend alors la majeure partie de ce qui antérieurement lui aurait paru un charabia. Il est plus facile d'admettre l'intervention d'un processus de synthèse dans le fait de voir, car nous sommes moins conscients de déployer une activité en voyant qu'en parlant. L'idée qu'il faut « apprendre à voir » ne vient jamais à personne. Une fois admise pourtant, elle est beaucoup plus éclairante que l'ancienne hypothèse, plus répandue, selon laquelle une « réalité » stable et uniforme est enregistrée par un système récepteur passif, de sorte que ce qui est vu est identique pour tous les hommes et fournit une référence universelle.

L'idée que deux personnes ne peuvent jamais voir exactement la même chose dans des conditions normales est choquante pour certains, car elle implique que les hommes n'entretiennent pas tous les mêmes rapports avec le monde environnant. Mais si l'on ne reconnaît pas ce fait, il devient impossible de comprendre comment traduire les données d'un monde de perception dans un autre. La différence entre les mondes perceptifs de deux individus appartenant à une même culture est certainement moins considérable que pour deux individus appartenant à des cultures étrangères, mais elle peut néanmoins poser des problèmes. Dans ma jeunesse, j'ai passé plusieurs étés en compagnie d'étudiants qui faisaient des recherches archéologiques dans les hauts déserts du nord de l'Arizona et du sud de l'Utah. Tous les membres de ces expéditions étaient animés du désir profond de découvrir des outils de pierre et surtout des pointes de flèches. Nous marchions en file indienne, tête baissée, yeux rivés au sol, selon la démarche classique des missions archéologiques sur le terrain. Mais il advenait souvent que mes compagnons, malgré l'ardeur de leur recherche, piétinent des pointes de flèches posées à même le sol. A leur désespoir, je me baissais pour ramasser ce qu'ils n'avaient pas vu, pour la simple raison que j'avais appris à sélectionner mes objets perceptifs. Je pratiquais cette forme de concentration depuis longtemps déjà, je savais ce que je cherchais et cependant je ne pouvais déterminer les repères qui faisaient émerger les pointes de flèche avec autant de netteté.

Pourtant, il ne faut pas se faire d'illusions sur mes capacités. Si je peux repérer des pointes de flèches dans le désert, l'intérieur d'un réfrigérateur est pour moi une jungle où je me perds aisément. Ma femme, au contraire, découvre immanquablement le fromage ou le reste de rôti qui se cachent sous mon nez. Des centaines d'expériences de cet ordre me convainquent que les hommes et les femmes habitent souvent des mondes visuels très différents. Car les divergences dont il s'agit ne peuvent être attribuées à des variations de l'acuité visuelle. L'homme et la femme ont simplement appris à se servir de leurs yeux de façon très différente.

La façon qu'ont les gens de s'orienter et de se déplacer d'un lieu à un autre révèle leur culture d'origine, et le monde de perceptions qu'ils y ont acquis. Un jour, à Beyrouth, ayant l'impression d'être parvenu à proximité de l'immeuble que je cherchais, je demandai mon chemin à un Arabe. Pour me montrer où se trouvait l'édifice, celui-ci m'indiqua d'un large geste la direction générale dans laquelle je devais aller. Son comportement me montrait qu'il pensait bien m'indiquer exactement où se trouvait l'immeuble. Mais pour rien au monde je n'aurais pu dire où se trouvait le bâtiment qu'il avait en vue, ni même dans laquelle des trois rues, toutes visibles du point où nous étions, il se trouvait. Il était évident que nous nous servions de deux systèmes d'orientation complètement étrangers.

LE MÉCANISME DE LA VISION

Les différences considérables qui séparent les mondes visuels des individus s'expliquent quand on sait que la rétine (qui perçoit les rayons lumineux) est formée d'au moins trois parties ou zones distinctes : la fovéa, la macula et la zone de vision périphérique. Chacune de ces régions remplit des fonctions visuelles spécifiques, ce qui permet à l'homme de voir de trois façons particulières. Mais comme ces trois types de vision fonctionnent simultanément et se fondent en quelque sorte, ils ne sont pas habituellement distingués. La fovéa est une petite fosse circulaire située au centre de la rétine et qui contient une masse serrée d'environ 25 000 cônes sensibles aux couleurs, dotés chacun d'une fibre nerveuse individuelle. La fovéa présente l'incroyable densité de 160 000 cellules par millimètre carré (la superficie d'une tête d'épingle). La fovéa permet à l'individu moyen de voir avec une très grande précision un petit cercle dont la taille peut varier selon les individus entre un quart de millimètre et un demi-centimètre à une distance de trente centimètres des yeux. La fovéa qui existe aussi chez les oiseaux et les singes anthropoïdes est une conquête de l'évolution. Chez les singes, elle semble associée à deux activités, la toilette et l'exercice de la vision à grande distance rendue nécessaire par la vie arboricole. Chez l'homme, enfiler des aiguilles, retirer des échardes, graver, constituent quelques-unes des nombreuses activités rendues possibles par la vision fovéale. Sans elle, n'existeraient ni machines-outils ni microscopes ou téléscopes : bref, ni science ni technologie.

Une expérience très simple fera apparaître l'extrême petitesse de la zone fovéale. Prenez un objet pointu et brillant, comme une aiguille et tenez-le sans bouger à bout de bras. En même temps, de votre main libre saisissez un objet pointu semblable et déplacez-le lentement en direction du premier jusqu'à ce que les deux points se trouvent dans une seule et même zone d'activité visuelle maximale et puissent être vus clairement *sans avoir aucunement à déplacer les yeux*. Les deux pointes se confondront pratiquement avant de pouvoir être vues clairement. Le plus difficile sera d'éviter de déplacer les yeux du point fixe vers le point mobile.

Autour de la fovéa se trouve la macula, zone ovale et jaune, formée de cellules sensibles à la couleur. Elle couvre un angle visuel de 3 degrés dans le plan vertical et un autre de 12 à 15 degrés dans le plan horizontal. La vision maculaire est très claire, mais elle n'est ni aussi claire ni aussi aiguë que la vision fovéale, parce que la densité des cellules n'est pas aussi considérable que dans la fovéa. L'homme utilise en particulier la macula pour la lecture : c'est la vision centrale.

La vision périphérique permet de percevoir les mouvements sur les côtés quand le sujet regarde droit devant lui. Lorsqu'on s'éloigne de la partie centrale de la rétine, la nature et la qualité de la vision changent radicalement. Les cônes étant plus rares, la faculté de voir la couleur diminue. La vision précise associée à la forte densité des cellules réceptives (cônes) pourvues de leurs neurones individuels fait place à une vision beaucoup plus grossière qui privilégie la perception du mouvement. Le fait que deux cents bâtonnets ou plus soient liés à un seul neurone a pour effet d'augmenter la perception du mouvement et de réduire les détails. La vision périphérique est définie par un angle d'environ 90 degrés, de chaque côté d'une ligne idéale passant par le milieu du crâne. L'expérience suivante met en évidence à la fois cet angle visuel et la faculté de percevoir le mouvement par la vision périphérique. Fermez les poings en gardant les index tendus ; placez-les derrière vos oreilles, puis, regardant droit devant vous, agitez légèrement les doigts, en ramenant vos mains vers l'avant jusqu'à ce que vous détectiez le mouvement. Les yeux se déplacent si rapidement que, tout en n'ayant une vue précise que dans un cercle d'un degré, on peut saisir une infinité de détails autour de soi qui donnent l'illusion d'une vue aiguë dans un champ beaucoup plus vaste qu'il ne l'est en réalité. Cette illusion est entretenue par le fait que l'attention se trouve également centrée par les relais qu'opèrent les perceptions fovéale et maculaire entre elles.

Prenons un exemple de vision restreinte pour illustrer les types d'informations enregistrés par les différentes régions de la rétine. Aux Etats-Unis, les convenances interdisent de dévisager. Pourtant, un homme doué d'une vision normale pourra, au restaurant, suivre du coin de l'œil ce qui se passe à une table distante de trois ou quatre mètres. Il pourra dire si la table est occupée, et éventuellement compter les convives, en particulier s'il y a du mouvement. A un angle de 45 degrés, il pourra préciser la teinte des cheveux d'une femme et la couleur de ses vêtements, sans pouvoir en identifier le tissu. Il saura si cette femme regarde son voisin ou lui parle, mais ne pourra voir si elle porte ou non une bague. Il percevra en gros, schématiquement, les mouvements de son compagnon, mais ne distinguera pas la montre qu'il porte au poignet. Il pourra déterminer le sexe d'un individu, sa stature, son âge approximatif, mais ne saura s'il le connaît ou non.

De la structure de l'œil découle pour la structuration de l'espace une série de conséquences qui n'ont, à ma connaissance, jamais été inventoriées ni théorisées. On peut tenter d'en énumérer quelques-unes, en précisant cependant qu'il s'agit là d'une recherche qui en est à ses premiers balbutiements. Ainsi, par exemple, le mouvement est exagéré à la périphérie de l'œil. Dans cette zone, les bordures recti-lignes et les bandes noires et blanches alternées sont parti-culièrement bien perceptibles. Cela implique que plus les murs d'un tunnel ou d'un couloir sont rapprochés, mieux le mouvement y est perceptible. Cette particularité de l'œil explique que, dans des pays comme la France, les chauffeurs ralentissent lorsqu'au sortir d'une autoroute dégagée ils s'engagent sur une route bordée d'arbres. Pour accélérer la vitesse des automobiles dans les tunnels, il est nécessaire de réduire le nombre des stimulations qui les frappent à hauteur d'œil. Dans les bibliothèques, les restaurants et autres lieux publics, la réduction des mouvements dans le champ visuel périphérique permettrait de diminuer l'impression d'entassement, l'augmentation de la stimulation péri-phérique contribuant, inversement, au résultat opposé.

LA VISION STÉRÉOSCOPIQUE

Le lecteur s'est peut-être demandé pourquoi nous n'avons pas encore parlé de la vision stéréoscopique. Le sentiment de la distance visuelle ou de l'espace n'est-il pas, après tout, imputable à la vision stéréoscopique ? On répondra oui ou non selon les cas. La réponse affirmative ne vaut que pour des cas très particuliers. Ainsi les borgnes perçoivent fort bien la profondeur. Il suffit de regarder dans un stéréoscope pour en saisir aussitôt les limites et comprendre également l'insuffisance scientifique des explications qui fondent la perception de la profondeur sur ce seul caractère de la vision humaine. En général, après avoir regardé quelques instants dans un stéréoscope, on ressent un besoin urgent de bouger la tête, de changer la vue et de voir bouger le premier plan sur un fond fixe. Le fait qu'une vue soit stéréoscopique en souligne du même coup la fixité et l'immobilité, bref le caractère d'illusion.

Dans son livre *The Perception of the Visual World*, Gibson met en question les théories traditionnelles qui font de la profondeur au premier chef une fonction de l'effet stéréoscopique produit par deux champs visuels qui se recouvrent : « On a généralement cru pendant de longues années que la seule base importante de la perception visuelle de la profondeur résidait dans l'effet stéréoscopique de la vision binoculaire. Ce point de vue est largement admis en ophtalmologie, dans les travaux concernant la physiologie et la pathologie de la vision. Il est aussi celui des photographes, des artistes, des cinéastes et des pédagogues de la vision qui croient qu'une scène peut être rendue dans sa profondeur au seul moyen des techniques stéréoscopiques. De même, les psychologues spécialistes de l'aviation estiment qu'en ce qui concerne la perception de la profondeur, les seuls tests imposables aux pilotes concernent leur acuité visuelle stéréoscopique. Cette croyance est fondée sur la théorie des indices intrinsèques de la profondeur, théorie qui suppose elle-même l'existence d'une catégorie spécifique de l'expérience : les sensations internes. Mais la psychologie moderne met sérieusement en doute la valeur de cette théorie et par là même ne laisse pas grand fondement à cette conception de la vision stéréoscopique. *Selon nous, la profondeur n'est pas élaborée à partir de sensations spécifiques : elle représente simplement une des dimensions de l'expérience visuelle.* » (C'est nous qui soulignons.)

Il n'est pas nécessaire de nous attarder plus longtemps sur ces faits. Simplement, lorsqu'ils seront élucidés, nous aurons une vue globale de la question et nous serons mieux

en mesure de comprendre les mécanismes extraordinaires
que l'homme met en œuvre dans sa perception du monde
visuel. Si la vision stéréoscopique est à juste titre reconnue
comme un facteur de la perception de la profondeur en
champ restreint (jusqu'à cinq mètres tout au plus), l'homme
dispose d'un grand nombre d'autres moyens pour construire
une image du monde en profondeur. Gibson a grandement
contribué à isoler et à identifier les éléments constituants
du monde visuel tridimensionnel. Ses travaux remontent
à la Seconde Guerre mondiale : les pilotes venaient de
découvrir qu'en cas de situation critique, le fait d'avoir à
convertir et appliquer les données d'un tableau de bord à
un monde tridimensionnel en mouvement occupait une
durée trop longue qui pouvait être fatale. Gibson fut chargé
d'élaborer les instruments susceptibles de fournir l'image
d'un monde visuel artificiel reproduisant le monde réel, et
qui pût permettre ainsi aux aviateurs de voler le long de
voies électroniques à travers le ciel. Au cours de sa recherche, Gibson parvint à distinguer non pas un, mais treize
systèmes différents au moyen desquels l'homme en mouvement obtient la perception de la profondeur. En raison
de la complexité de la question, nous renvoyons le lecteur à
l'ouvrage de Gibson dont la lecture devrait être rendue
obligatoire pour tous les étudiants en architecture et urbanisme et dont le lecteur trouvera le résumé en appendice.
' Des travaux de Gibson et des études approfondies des
psychologues « transactionnalistes », il ressort clairement
que le sens visuel de la distance relève d'une organisation
autrement plus complexe que celle des prétendues lois de
la perspective linéaire de la Renaissance. La connaissance
de ces diverses formes de perspective permet de comprendre
ce que les artistes essaient d'exprimer depuis un siècle.
Toutes les données dont nous disposons sur l'art au sein de
l'ensemble des diverses cultures du passé font apparaître
dans la représentation de la profondeur des différences
considérables dont l'explication transcende les catégories
de la convention stylistique. Aux Etats-Unis, la perspective
linéaire demeure le style artistique le plus en faveur auprès

du grand public. Mais, par ailleurs, des artistes japonais et chinois symbolisent la profondeur de façon toute différente. L'art oriental déplace la position de l'observateur en maintenant immobile la scène observée. La majorité des œuvres occidentales témoignent d'un processus exactement inverse. En fait, bien qu'elle se reflète dans l'art, la différence majeure entre l'Orient et l'Occident transcende ici le champ de l'esthétique et tient au fait que l'espace lui-même est perçu de façon entièrement différente par chacune des deux cultures. L'homme occidental perçoit les objets, mais non les espaces qui les séparent. Au Japon, au contraire, ces espaces sont perçus, nommés et révérés sous le terme de *ma*, ou espace intercalaire.

Dans les chapitres VII et VIII, nous aborderons l'art et la littérature en tant qu'introduction aux univers perceptifs des différents peuples. Nous verrons que les mondes de la science et de l'art ne coïncident qu'en de rares occasions. Pourtant ce fut le cas lors de la Renaissance, ainsi qu'à la fin du XIX⁰ siècle et au début du XX⁰ lorsque les Impressionnistes français étudièrent la physique de la lumière. Il est possible que nous nous retrouvions aujourd'hui à la veille d'une semblable période. Contrairement à l'opinion en faveur chez de nombreux représentants de la psychologie et de la sociologie expérimentales, la production des artistes et des écrivains offre une mine fabuleuse et inexploitée de données sur le monde de la perception. C'est, en effet, dans la faculté de dégager et de caractériser les variantes fondamentales de l'expérience sensible que réside le pouvoir propre de l'artiste.

7

La perception
éclairée par l'art

L'artiste américain Maurice Grosser a donné, dans un petit livre remarquable intitulé *The Painter's Eye*, un aperçu précieux sur la manière dont l'artiste lui-même « voit » son sujet et utilise son moyen d'expression propre pour rendre cette perception.

Le chapitre qu'il a consacré au portrait présente un intérêt particulier pour l'étude de la proxémie. Pour Grosser, le portrait se distingue de toutes les autres formes de perception par la proximité psychologique qu'il implique, et qui « dépend directement de la distance physique réelle, mesurable, qui sépare le modèle du peintre ». Pour Grosser, cette distance se situe entre un mètre vingt et deux mètres quarante. C'est cette relation spatiale de l'artiste à son sujet qui détermine le caractère spécifique du portrait, « cette sorte de communication particulière — presque une conversation — que le spectateur est en mesure d'entretenir avec la personne peinte ».

Grosser procède ensuite à une description du travail du portraitiste dont le caractère passionnant ne tient pas seulement à la façon dont il aborde la technique, mais aussi à l'acuité avec laquelle il lie la perception de la distance aux relations sociales. Les relations spatiales qu'il décrit sont pratiquement identiques à celles que j'ai découvertes au cours de mes propres recherches et à celles que Hediger a observées chez les animaux :

« Au-delà de la distance de quatre mètres..., soit deux fois la hauteur de notre corps, la silhouette humaine peut être vue dans son entier et perçue comme une totalité. A cette distance, nous sommes essentiellement conscients de ses contours et de ses proportions... un homme ressemble alors à une forme découpée dans du carton... et il paraît *n'avoir qu'un faible rapport avec notre propre personne*... Ce sont seulement la solidité et la profondeur des objets tout proches qui nous permettent d'éprouver de la sympathie ou de nous identifier avec ce que nous regardons. Située à une distance égale à deux fois sa hauteur, la silhouette humaine est perçue immédiatement au premier regard... elle est saisie comme une unité et un tout. A cette distance, le caractère d'un personnage n'est pas donné par l'expression ou les traits du visage, mais par la position des membres... Le peintre regarde son modèle comme si c'était un arbre dans un paysage ou une pomme dans une nature morte — *la chaleur personnelle du modèle ne le trouble pas.*

« Mais la distance propre au portrait se situe entre un mètre vingt et deux mètres quarante. Dans ce cas, le peintre est assez proche de son modèle pour ne pas avoir de difficulté à en distinguer les formes dans leur solidité, mais assez éloigné pour ne pas être gêné par la déformation du raccourci. Ainsi, à la distance normale de *l'intimité sociale et de la conversation courante*, l'âme du modèle commence à transparaître... A moins d'un mètre, à portée de main, la présence de l'âme est trop accaparante pour permettre aucune observation *désintéressée.* Ce n'est plus la distance du peintre mais celle du sculpteur qui doit, lui, *être suffisamment près de son modèle pour juger des formes par le toucher.*

« A portée de main, les problèmes de la déformation visuelle rendent le travail du peintre trop difficile... De plus, la personnalité du modèle pèse trop lourdement. L'influence du modèle sur l'artiste est alors trop puissante et fait obstacle au détachement nécessaire. Cette *distance à portée de la main* ne convient pas au rendu visuel, mais elle est propice aux réactions motrices, à l'expression physique des sentiments, qu'il s'agisse de comportements agressifs ou amoureux. » (C'est nous qui soulignons.)

Il est remarquable que les observations de Grosser recoupent les données proxémiques concernant l'espace personnel. Bien qu'il use d'une autre terminologie, Grosser distingue effectivement ce que j'ai appelé les distances intime, personnelle, sociale et publique. Ses critères spécifiques d'appréciation des distances sont également intéressants : ils comprennent le contact, l'absence de contact, la chaleur dégagée par le corps, la perception des détails visuels et leur déformation lorsqu'ils sont vus de très près, la constance de la taille, la rondeur stéréoscopique et l'aplatissement de l'objet au-delà de quatre mètres. La portée des observations de Grosser ne se limite pas à l'évaluation des distances optimales pour le peintre ; elle réside dans la façon dont il précise les cadres spatiaux inconscients et conditionnés par la culture que l'artiste et son modèle projettent dans la séance de pose. Le peintre, que sa formation a sensibilisé au champ visuel, explicite les schèmes qui sous-tendent son comportement. C'est pourquoi *l'artiste ne nous apporte pas seulement son témoignage sur les valeurs majeures d'une culture, mais sur les éléments microculturels qui les constituent.*

CONTRASTE ENTRE CULTURES CONTEMPORAINES

L'art des autres cultures surtout, lorsqu'il est très différent du nôtre, contribue à mettre en lumière la diversité des mondes perceptifs selon les cultures. En 1959, l'anthropologue Edmund Carpenter publia en collaboration avec le peintre Frederick Varley et le photographe Robert Flaherty un livre remarquable intitulé *Eskimo*. Il est principalement consacré à l'art esquimau d'Aivilik. Texte et illustrations montrent que le monde perceptif des Esquimaux diffère profondément du nôtre, en particulier à cause de la façon dont les Esquimaux se servent de leurs sens pour s'orienter dans l'espace. Il arrive en effet que dans la région Arctique aucune ligne d'horizon ne sépare la terre du ciel.

« Tous deux ont la même substance. Il n'y a pas de distance intermédiaire, pas de perspective, ou de contour, rien à quoi le regard puisse s'accrocher hormis des milliers de flocons moutonnants et brumeux que le vent chasse au ras du sol de cette terre sans assises ni limites. Que le vent se lève et que la neige emplisse l'atmosphère, la visibilité sera réduite à trente mètres ou moins encore. »

Comment les Esquimaux peuvent-ils parcourir des kilomètres à travers un territoire semblable ? Carpenter écrit : « Lorsque je voyage en voiture, je peux me diriger avec une relative facilité à travers la complexité et le désordre d'une grande ville — Detroit, par exemple —, grâce à la seule aide d'une série de panneaux de signalisation. Au départ je sais que les rues sont disposées en échiquier et j'ai la certitude que certains signes jalonneront mon chemin. Selon toute apparence, les Aivilik ont des points de repère analogues, mais d'ordre naturel. En fait, *ces repères ne sont pas constitués par des objets ou des points véritables, mais par des rapports ;* rapports entre, par exemple, la netteté des contours, la qualité de la neige et du vent, la teneur de l'air en sel, la taille des crevasses. » (C'est nous qui soulignons.)

La direction et l'odeur du vent, comme le contact de la neige et de la glace sous ses pieds, fournissent à l'Esquimau les indications qui lui permettent de couvrir des centaines de kilomètres à travers des solitudes *visuellement indifférenciées.* Les Aivilik possèdent au moins douze termes différents pour désigner les diverses sortes de vents, et ils vivent dans un espace olfactif et acoustique plutôt que visuel. Davantage, leurs représentations du monde visuel évoquent le procédé radiographique. Leurs artistes y mettent toutes les choses dont ils savent qu'elles sont présentes, qu'ils puissent ou non les voir. Un dessin ou une gravure d'un

homme chassant le phoque sur la banquise ne montrera pas
seulement ce qui se trouve à la surface de la glace (le chas-
seur et ses chiens), mais aussi ce qui se trouve au-dessous
(le phoque gagnant son trou respiratoire pour remplir d'air
ses poumons).

L'ART COMME HISTOIRE DE LA PERCEPTION

Depuis quelques années, l'anthropologue Edmund Carpenter, Marshall McLuhan, directeur du Centre de culture
et de technologie de Toronto, et moi-même, avons étudié
l'art du point de vue de ce qu'il peut nous apprendre sur
l'usage que les artistes font de leurs sens et la façon dont
ils communiquent leurs perceptions au spectateur. Chacun
de nous procédait selon sa propre approche, indépendam-
ment des autres. Cependant nos recherches individuelles
nous ont mutuellement éclairés et stimulés et nous nous
accordons à considérer que l'artiste a beaucoup à nous
apprendre sur la façon dont l'homme perçoit le monde.
La plupart des peintres savent qu'ils opèrent à divers niveaux
d'abstraction ; leur production dépend entièrement de la
vue et ne peut s'adresser directement aux autres sens. Un
tableau ne peut jamais rendre directement le goût ou le
parfum d'un fruit, le contact ou la texture d'une chair, ou
la note qui dans la voix du nourrisson fait jaillir le lait du
sein de la mère. Pourtant le langage comme la peinture
donnent de ces faits des représentations symboliques parfois
si convaincantes qu'elles suscitent des réactions proches de
celles provoquées par les stimuli originaux. L'artiste est
très habile et *si le spectateur possède la même culture que
lui*, ce dernier peut suppléer ce qui manque dans le tableau.
L'écrivain comme le peintre savent que leur rôle consiste
à fournir au lecteur, à l'auditeur ou au spectateur des signes
dont le choix est dicté par leur pertinence à l'égard, non
seulement des événements décrits, mais surtout du langage
implicite et de la culture de leur public. La tâche de l'artiste
consiste à supprimer les obstacles qui s'interposent entre

les événements qu'il décrit et son public. Ainsi il extrait du monde naturel des éléments qui, convenablement organisés, peuvent tenir lieu de la totalité et constituer une affirmation dont la puissance et la cohésion ne sont pas à la portée du profane. En d'autres termes, *une des fonctions majeures de l'artiste est d'aider le profane à structurer son univers culturel.*

L'histoire de l'art est presque trois fois plus longue que celle de l'écriture, et le rapport de ces deux types d'expression apparaît dans les premières formes de l'écriture, tels les hiéroglyphes égyptiens. Rares cependant sont ceux qui voient dans l'art un système de communication dont l'histoire est liée à celle du langage. On considérerait l'art d'une manière toute différente si l'on adoptait ce point de vue. L'homme est habitué à admettre l'existence de langues qu'il ne comprend pas au premier abord et qu'il lui faut apprendre ; mais du fait que l'art est essentiellement visuel, il s'attend à pouvoir en saisir immédiatement le message, et s'irrite s'il n'en est pas ainsi.

Je donnerai maintenant un bref aperçu de ce que nous enseigne l'étude de l'art et de l'architecture. La tradition veut que l'on interprète ou réinterprète toujours l'art et l'architecture par rapport aux réalités contemporaines. Mais il ne faut pas oublier que l'homme moderne est à jamais coupé des multiples mondes sensoriels de ses ancêtres : la richesse de ces expériences lui fera toujours défaut, puisqu'elles étaient irrémédiablement intégrées et enracinées dans des structures que seuls les gens de l'époque pouvaient pleinement comprendre. L'homme actuel doit se garder de jugements hâtifs lorsqu'il regarde sur les parois d'une grotte préhistorique de France ou d'Espagne une peinture vieille de quinze mille ans. L'art des époques révolues nous donne à la fois des indications sur nos propres réactions concernant la nature et l'organisation de notre propre expérience visuelle et une idée de ce qu'a *pu être* le monde perceptif de l'homme primitif. Cependant, notre image moderne de ce monde restera toujours une approximation incomplète de l'original tout comme les vases restaurés que l'on voit dans les musées.

Le reproche le plus sérieux que l'on puisse adresser aux nombreuses tentatives d'interprétation du passé de l'homme est qu'elles projettent sur le monde visuel du passé la structure du monde visuel contemporain.

Ce genre d'erreur tient en partie au fait que peu de gens connaissent les travaux de la psychologie transactionnelle concernant la structuration inconsciente de notre monde visuel. Peu de gens ont compris que la vue n'est pas un sens passif mais actif, qu'elle consiste en fait dans une interaction entre l'homme et son environnement. C'est pourquoi ni les peintures d'Altamira, ni même les temples de Louqsor ne peuvent être supposés faire naître aujourd'hui les mêmes images ou réactions qu'au moment de leur création. Des temples, comme celui d'Amen-Ra, à Karnak, sont remplis de colonnes : on y pénètre comme dans une forêt de troncs pétrifiés, impression qui peut se révéler très perturbante pour l'homme moderne.

L'artiste des grottes paléolithiques était vraisemblablement un chaman ; il vivait dans un monde sensoriel très riche et qu'il ne mettait pas en question. Comme le très jeune enfant, il n'avait qu'obscurément conscience de l'existence indépendante et extérieure de ce monde. Beaucoup d'événements naturels lui étaient incompréhensibles, en particulier parce qu'il n'avait aucun contrôle sur eux. En fait, il est vraisemblable que l'art a été l'une des premières tentatives de l'homme en vue de contrôler les forces de la nature. Pour l'artiste-chaman, reproduire l'image d'une chose a pu représenter le premier stade de sa domination. S'il en est ainsi, chaque peinture représentait un acte créateur séparé, destiné à procurer puissance et gibier abondant, mais n'était pas considéré comme de l'art au sens où nous l'entendons aujourd'hui. Cela expliquerait pourquoi le cerf et le bison d'Altamira, si bien dessinés qu'ils soient, sont sans relation entre eux, mais tous deux liés à la topographie de la grotte. Plus tard, ces mêmes images magiques furent réduites à des symboles indéfiniment reproduits (telles les perles des colliers de prière) pour en multiplier l'effet magique.

Mon interprétation de l'art et de l'architecture primitifs est marquée par les travaux de deux hommes qui y ont consacré leur vie. Le premier est le regretté Alexandre Dorner, historien de l'art et conservateur de musée, qui s'intéressait également aux problèmes de la perception humaine. C'est à lui que je dois la découverte d'Adelbert Ames et de l'école de psychologie transactionnelle. Le livre de Dorner, *The Way Beyond Art,* avait des années d'avance sur son époque. Je ne cesse d'y revenir et à mesure des années les intuitions de Dorner me semblent plus remarquables. Le second, dont j'ai connu l'œuvre plus tard, est l'historien d'art helvétique Siegfried Giedion, auteur de *The Eternal Present*[1]. Mais en dépit de la dette que je reconnais avoir envers ces auteurs, je dois assumer l'entière responsabilité de l'interprétation de leur pensée. Dorner et Giedion ont été tous deux amenés à s'intéresser à la perception. Ils ont montré que l'étude des productions artistiques de l'homme peut fournir une information considérable sur le monde sensoriel du passé et que chez l'homme la perception change, tout comme le type de conscience qu'il en a. Par exemple, l'expérience que les Egyptiens anciens avaient de l'espace était très différente de la nôtre. Il semble qu'ils aient été soucieux de la correction de l'orientation et de l'alignement de leurs édifices religieux et rituels par rapport au cosmos, plus que des espaces clos en eux-mêmes. La construction et l'orientation précise des pyramides et des temples selon un axe nord-sud ou est-ouest avaient une signification magique et visaient la domination du monde surnaturel au moyen de la reproduction symbolique. Les Egyptiens avaient élaboré une géométrie de la vision frontale et des surfaces planes. Dans leurs fresques et leurs peintures, tout semble plat et le temps est segmenté. Dans tel cas, par exemple, il est impossible de savoir s'il s'agit d'un seul scribe accomplissant vingt travaux différents, ou de vingt scribes différents vaquant à leurs occupations. Les Grecs de l'époque classique ont atteint un raffinement

1. Traduit en français sous le titre *l'Eternel Présent,* Editions de la Connaissance, Bruxelles, 1968.

extrême dans l'intégration des lignes et des formes et ils ont rarement été égalés dans le traitement visuel des arêtes. Tous les intervalles entre les colonnes et toutes les verticales du Parthénon ont été conçus et réalisés de manière à paraître identiques, et les colonnes ont été volontairement incurvées pour donner l'illusion d'une parfaite rectilinéarité. Les fûts des colonnes sont légèrement renflés en leur centre afin de conserver l'aspect d'un amincissement uniforme. Dans le cas du soubassement, le centre dépasse aussi les extrémités de plusieurs centimètres afin que la plate-forme qui supporte les colonnes apparaisse comme parfaitement plane.

Nos contemporains formés par la culture occidentale sont gênés par l'absence d'espace intérieur dans ceux des temples grecs assez bien conservés — tel l'Hephaisteion, ou Theseion, d'Athènes (490 av. J.-C.) — pour donner encore une idée de leur aspect original. La conception occidentale de l'édifice religieux implique toujours une communication par l'espace intérieur. Nos chapelles sont petites et intimes, alors que nos cathédrales inspirent la crainte et renvoient au cosmos par le caractère de leur espace intérieur. Giedion indique que « les voûtes et les arcs furent utilisés au tout début de l'histoire de l'architecture et (que) le premier arc brisé ancien, découvert à Eridu (Sumer), remonte au quatrième millénaire ». Pourtant « la mise en valeur (des voûtes et coupoles) ne se manifesta que sous la Rome impériale... en même temps qu'apparut le rapport symbolique entre l'espace intérieur et le cosmos [1] ». Les moyens techniques existaient, mais non le sentiment ou le besoin d'un rapport avec de vastes espaces clos. L'homme occidental ne s'est d'ailleurs vu *dans* l'espace que plus tard. En fait, c'est seulement par degrés que l'homme a conquis le sentiment de son existence dans l'espace au niveau quotidien et avec la participation de tous ses sens. Comme nous le verrons, l'histoire de l'art témoigne elle aussi du développement non synchrone de la conscience sensorielle.

1. *L'Eternel Présent*, t. II, p. 352 et 359.

Pendant des années, j'ai cherché à résoudre ce qui m'apparaissait comme un paradoxe dans le développement de l'art : pourquoi la sculpture grecque avait-elle mille ans d'avance sur la peinture grecque ? Dans la Grèce classique, la sculpture dominait la reproduction du corps humain avant la première moitié du v° siècle av. J.-C. Dans l'*Aurige* de Delphes (470 av. J.-C.), le *Discobole* (450-460 av. J.-C.) de Myron et surtout le *Poséidon* du musée de l'Acropole d'Athènes, est à jamais inscrite la faculté d'exprimer en bronze et en pierre l'essence de l'homme vibrant dans l'action. L'explication de mon paradoxe réside dans le fait souligné par Grosser que la sculpture est avant tout un art tactile et kinesthésique. Le miracle de la sculpture grecque s'éclaire alors : elle transmet le message des muscles et des articulations d'un corps aux muscles et articulations d'un autre corps.

Je dois maintenant expliquer au lecteur pourquoi je n'ai pas illustré mon propos par les reproductions des sculptures grecques en question et d'une façon plus générale pourquoi le seul chapitre de ce livre où l'on s'attendrait à trouver des illustrations n'en comporte pas. La décision de ne pas donner de reproduction de mes exemples n'a pas été facile. Mais en illustrant je serais allé contre une des thèses de mon livre selon laquelle la substance de la plupart des communications est extraite d'événements qui se situent à une multiplicité de niveaux dont beaucoup ne se révèlent pas d'emblée. De même le grand art implique une communication en profondeur, et il faut parfois des années ou des siècles pour en dégager pleinement le message. En fait, nous ne serons jamais certains que les vrais chefs-d'œuvre nous aient livré leurs secrets ultimes. Pour comprendre une œuvre d'art, il faut la contempler de nombreuses fois et entrer en communication avec l'artiste à travers son travail. Mais on n'y parvient qu'en supprimant les intermédiaires puisqu'il faut accéder à une perception *totale*. Pour l'accès à l'œuvre, la reproduction est donc éliminée, car la meilleure reproduction ne peut qu'aider le spectateur à se remémorer le déjà vu, elle n'est au mieux qu'un aide-mémoire, elle ne devrait jamais être substituée à l'œuvre réelle. Ainsi le problème de l'échelle, par exemple, montre bien les limites de la reproduction. Toutes les œuvres d'art ont une échelle. En modifiant leurs dimensions, on les altère complètement. En outre, pour bien apprécier la sculpture, il faut pouvoir la toucher et la regarder sous une multiplicité d'angles différents. La plupart des musées commettent une erreur en ne laissant pas toucher les sculptures. Ce chapitre a pour objet d'inciter le lecteur à voir et à revoir les œuvres d'art afin d'établir sa propre relation personnelle avec le monde de l'art. L'analyse des peintures du Moyen Age révèle comment l'artiste de l'époque percevait le monde. Le psychologue Gibson a dénombré treize variétés de perspectives et d'impressions visuelles associées à la perception de la profondeur. L'artiste médiéval n'en connaît approximativement que six : il domine la *perspective aérienne*, la *continuité linéaire*, et la *situation des objets dans la partie supérieure du champ visuel*, il commence à comprendre en partie les perspectives concernant la *texture*, la *dimension*, l'*espacement linéaire*[1]. L'étude de l'art médiéval révèle également que l'homme occidental n'avait pas encore appris à distinguer le champ visuel (l'image réelle enregistrée par la rétine) et le monde visuel constitué par l'ensemble de ce qui est perçu. En effet, l'homme était représenté non pas tel qu'il est inscrit sur la rétine mais tel qu'il est perçu. D'où certains effets remarquables et parfois étranges de la peinture de cette période comme en témoignent plusieurs tableaux de la National Gallery de Washington : dans *la Libération de saint Placide* de Filippo Lippi (milieu du xv⁰ siècle), les personnages du fond sont plus grands que les deux moines qui prient au premier plan, tandis que dans *la Rencontre de saint Antoine et de saint Paul* de Sassetta, les deux saints sont à peine plus grands que les deux silhouettes qui cheminent à flanc de colline dans le lointain. Les peintures du xiii⁰ et du xiv⁰ siècle de la Galerie des Offices offrent de nombreux exemples du monde visuel du Moyen Age. Dans

---

1. Cf. en Appendice le résumé de la théorie de Gibson sur les composantes de la profondeur.

la *Thébaïde* de Gherardo Starnina, qui représente une vue
aérienne d'un port, les bateaux ancrés dans le port sont
plus petits que les personnages situés derrière eux sur le
rivage, et la taille des hommes demeure identique, quelle que
soit la distance. A Ravenne, des mosaïques bien antérieures,
du V° siècle, appartenant à une tradition culturelle différente
(celle de Byzance), apparaissent délibérément et consciemment tridimensionnelles, mais sous un seul aspect seulement. Vus de près, rouleaux, manuscrits et labyrinthes illustrent une conception selon laquelle tout objet, ligne, plan ou
surface qui en masque ou en recouvre partiellement un
autre sera vu devant celui-ci (principe de la continuité
linéaire de Gibson). D'après leurs mosaïques, on imaginerait
assez que les Byzantins vivaient et travaillaient à très petite
distance des gens et des choses. Même lorsqu'il représente
des animaux, des édifices ou des villes, l'art byzantin témoigne toujours d'une extraordinaire proximité visuelle de
l'objet.

En introduisant l'espace tridimensionnel comme fonction
de la perspective linéaire, la Renaissance renforça certains
aspects de la spatialité médiévale et en élimina d'autres. Le
maniement de cette nouvelle forme de représentation de
l'espace attira l'attention sur la différence entre le monde
et le champ visuels, et par conséquent sur la distinction
entre ce que l'homme sait exister et ce qu'il voit effectivement. La découverte des lois dites de la perspective, selon
lesquelles toutes les lignes de perspective doivent converger
en un seul point, a pu être attribuée en partie au peintre
Paolo Uccello de Florence. Quel que soit le rôle réel
d'Uccello, une fois découvertes, les lois de la perspective se
répandirent très vite et trouvèrent rapidement leur expression ultime dans un incroyable tableau de Botticelli, *la
Calomnie*. Pourtant la peinture de la Renaissance recelait
une contradiction fondamentale. Maintenir l'espace statique
et en organiser les éléments par rapport à un unique point
de perspective revenait en fait à traiter l'espace tridimensionnel selon *deux dimensions* seulement. Cette approche
purement optique de l'espace est rendue possible parce que

l'œil immobile aplatit tous les objets au-delà de quatre mètres. Les effets de trompe-l'œil, si populaires pendant et après la Renaissance, symbolisent cette conception de l'espace visuel perçu à partir d'un point unique. La perspective de la Renaissance ne se borna pas à lier la figure humaine à l'espace selon une mathématique rigide qui réglait ses dimensions en fonction des différentes distances, mais elle força l'artiste à s'habituer à la fois à la composition et au plan.

Depuis la Renaissance, les artistes occidentaux ont été pris au piège mystique de l'espace et impliqués dans de nouvelles visions des choses. Gyorgy Kepes, dans *The Language of Vision*, remarque que Léonard de Vinci, le Tintoret et d'autres peintres ont modifié la perspective linéaire et agrandi l'espace en introduisant plusieurs lignes de fuite. Au cours des XVIIᵉ et XVIIIᵉ siècles, l'espace empirique de la Renaissance et du baroque céda la place à une conception de l'espace plus dynamique, mais plus complexe et difficile à organiser. L'espace visuel de la Renaissance était trop simple et trop stéréotypé pour satisfaire l'artiste avide de mouvement et désireux d'infuser une vie nouvelle dans son travail. De nouvelles expériences de l'espace furent exprimées et elles conduisirent à de nouvelles prises de conscience.

Depuis trois siècles, le champ de la peinture a pu s'étendre, des présentations hautement personnelles et intensément visuelles de Rembrandt à la réserve de Braque et à son traitement kinesthésique de l'espace. Les œuvres de Rembrandt ne furent pas bien comprises à leur époque car ce peintre promouvait une vision de l'espace neuve et différente, qui nous paraît cependant aujourd'hui à la fois familière et rassurante. Il sut maîtriser de façon remarquable la distinction déjà évoquée entre champ et monde visuels. A l'opposé de l'artiste de la Renaissance, qui organisait sa présentation des objets lointains *en fonction d'un observateur fixe*, Rembrandt, lui, s'attachait à la vision d'un œil fixe qui ne se déplace pas, mais repose sur certaines zones particulières du tableau. Il m'a fallu des années pour apprécier pleinement la connaissance qu'avait Rembrandt des mécanismes de la vision. Ce fut un jour par hasard que j'en compris toute la portée. Les peintures de Rembrandt sollicitent l'œil, en particulier grâce à un certain nombre de paradoxes ; ainsi, la vivacité et l'acuité des détails se dissolvent dès que le spectateur approche de trop près. Je m'appliquais précisément à étudier ce mécanisme (en essayant de déterminer jusqu'où je pouvais m'approcher avant que le détail ne se brouille), lorsque je fis une découverte importante. Alors que j'observais l'un des autoportraits, mon regard fut soudain attiré par le point le plus captivant du tableau, l'œil de Rembrandt. L'artiste l'avait peint de telle façon, par rapport au reste du visage, que la tête tout entière semblait posséder trois dimensions et s'animait *si on la regardait à la distance voulue*. Je compris alors que Rembrandt avait su distinguer les visions fovéale, maculaire et périphérique. Il avait peint un *champ visuel* immobile, plutôt que le monde visuel représenté par ses contemporains. C'est pourquoi, lorsqu'on les observe à la distance requise (qu'il faut déterminer expérimentalement), les peintures de Rembrandt semblent effectivement posséder trois dimensions. L'œil doit pouvoir se fixer et demeurer sur le point qu'il a peint avec le plus de précision et de détail, à une distance où à la zone fovéale de la rétine (zone de la vision la plus distincte) correspond la zone la plus aiguë et détaillée du tableau. Dans ce cas, les champs visuels de l'artiste et de l'observateur coïncident, et, soudain, les tableaux de Rembrandt s'animent d'un réalisme saisissant. Il est évident que Rembrandt ne déplaçait pas son regard d'un œil à l'autre comme font beaucoup d'Américains lorsqu'ils se trouvent à un ou deux mètres de leur sujet. A cette distance, il ne peignait avec précision qu'un seul œil (comme on le voit dans *le Potentat oriental* du musée d'Amsterdam et *le Comte polonais* de la National Gallery de Washington). Les tableaux de Rembrandt témoignent d'une conscience grandissante des processus visuels, qui préfigure nettement l'apport de l'impressionnisme.

Hobbema, peintre hollandais contemporain de Rembrandt,

rendait le sentiment de l'espace d'une façon très différente
et plus conventionnelle pour l'époque. Ses grands tableaux
de la vie rustique, aux innombrables détails, sont divisés
en scènes diverses et séparées. Pour les apprécier pleinement, il faut les contempler à une distance de soixante centimètres à un mètre. Mais dans ce cas, à hauteur d'œil, le
spectateur est obligé de tourner et de pencher la tête s'il
veut voir tous les détails. Il doit *lever la tête* pour contempler les arbres, *la baisser* pour voir le ruisseau et *l'avancer*
pour regarder les scènes centrales. En fin de compte, on a
l'impression remarquable de regarder à travers une vaste
baie vitrée un paysage hollandais d'il y a trois cents ans.

   Les artistes impressionnistes, surréalistes, abstraits et
expressionnistes ont choqué plusieurs générations successives parce que leur monde perceptif ne s'accordait ni avec
la conception reçue, ni avec celle de la perception commune.
Pourtant, tous sont devenus intelligibles avec le temps. Les
impressionnistes de la fin du XIXe et du début du XXe siècle
annoncèrent plusieurs caractères de la vision qui, plus tard,
fit l'objet d'une description scientifique par Gibson et
d'autres chercheurs. Ainsi Gibson distingue la lumière dite
ambiante qui emplit l'air et qui est réfléchie par les objets,
de la lumière irradiée qui ressortit au domaine de la physique. Les peintres impressionnistes, conscients du rôle que
joue la lumière ambiante dans la vision, tentèrent d'en
reproduire la qualité précisément quand elle baigne l'atmosphère et qu'elle est réfléchie par les objets. Les tableaux
de Monet de la cathédrale de Rouen, qui représentent tous
la même façade mais sous des lumières différentes, constituent la plus claire illustration du rôle que joue la lumière
ambiante dans la vision. L'importance des impressionnistes
vient de ce qu'ils ont déplacé l'attention de l'observateur
à nouveau vers l'espace. Ils ont délibérément tenté de
comprendre et de décrire ce qui se produit dans l'espace.
Sisley, mort en 1889, était, comme la plupart des Impressionnistes, un maître de la perspective aérienne. Degas,
Cézanne et Matisse reconnaissaient tous la valeur structu-
rante et le pouvoir de définition des lignes qui symbolisent

les contours (bords). De récentes recherches sur le cortex visuel du cerveau montrent que c'est en termes de limites que le cerveau « voit » le plus clairement. Les limites du type de celles de Mondrian semblent provoquer une sorte de choc cortical plus violent que n'en provoquent les effets naturels. Raoul Dufy s'attacha à la persistance de l'image qu'il traduisit dans la luminosité transparente de ses peintures. Braque mit en évidence les rapports de la vue et de la kinesthésie en s'efforçant consciemment de rendre l'espace du toucher. L'essence de la peinture de Braque ne peut pratiquement pas être rendue par les reproductions, en particulier à cause de la texture de ses toiles : texture qui attire pratiquement le spectateur à portée de main des objets représentés. Quand on les regarde à la distance adéquate, les tableaux de Braque sont d'un réalisme extraordinaire qu'aucune reproduction ne laisse deviner. Utrillo demeure prisonnier de la perspective, mais moins étroitement que les artistes de la Renaissance. Il n'essaie pas de répéter la nature : il parvient néanmoins à donner l'impression qu'on peut faire le tour de ses espaces. Paul Klee réussit à lier le temps, l'espace et la perception dynamique de l'espace qui se transforme à mesure qu'on le parcourt. Chagall, Miró et Kandinsky semblent savoir que les couleurs pures — surtout le bleu, le rouge et le vert — sont focalisées sur différents points par rapport à la rétine, et que l'impression d'une extrême profondeur peut être rendue à l'aide de la seule couleur.

Au cours des dernières années, les collectionneurs d'art moderne se sont intéressés à l'œuvre — si riche sensoriellement — des artistes esquimaux, en partie parce qu'elle évoque, à bien des égards, Klee, Picasso, Braque et Moore. La différence est pourtant considérable. Car toutes les activités de l'Esquimau sont marquées par la marginalité de son existence, liées aux techniques qui lui ont permis de s'adapter à un environnement hostile et exigeant qui n'admet, pour ainsi dire, aucune marge d'erreur. En revanche, les artistes occidentaux contemporains commencent, grâce à leur art, à mobiliser leurs sens et à éliminer certains des processus de traduction requis par l'art objectif. L'art des Esquimaux nous révèle qu'ils vivent dans un monde riche de sensations. L'œuvre des artistes modernes indique exactement le contraire. De là vient peut-être que tant de personnes soient gênées par l'art contemporain.

Il n'est pas possible en quelques pages de retracer le développement de la conscience progressive que l'homme a prise, de lui-même d'abord, puis de son environnement, de lui-même par rapport à ce dernier, et enfin de la relation dialectique qui le lie à cet environnement. Il faut se contenter d'une esquisse générale de cette aventure qui démontre clairement que l'homme a habité de nombreux mondes perceptifs différents, et que l'art constitue l'une des sources de renseignements les plus abondantes sur la perception humaine. L'artiste lui-même, comme son œuvre, ou encore l'étude comparative de l'art dans des contextes culturels différents, nous fournissent une information précieuse, non seulement sur les contenus, mais surtout sur la structure des différents mondes perceptifs de l'homme. Dans le chapitre suivant, nous examinerons les rapports qui unissent contenus et structures, à partir d'exemples tirés d'une autre forme d'art, la littérature, riche, elle aussi, en enseignements.

8

Le langage de l'espace

Franz Boas fut le premier anthropologue à mettre en évidence la relation qui existe entre langage et culture. Sa démonstration était d'une simplicité élémentaire : elle consistait à analyser les lexiques respectifs de deux langues, révélant ainsi la spécificité de chaque culture. Ainsi, pour la plupart des Américains qui ne sont pas des animaux skieurs, la neige est un simple élément du temps et en ce qui la concerne le vocabulaire américain est limité à deux termes : neige et grésil. Dans la langue esquimau, il existe au contraire de nombreux termes pour la désigner. Chacun correspond à une consistance particulière ou à des conditions atmosphériques déterminées et traduit clairement l'exigence d'un vocabulaire précis destiné à décrire, non pas simplement le temps, mais un aspect fondamental de l'environnement. Depuis l'époque de Boas, les anthropologues ont approfondi leur connaissance de cette relation majeure entre langage et culture, et ils ont atteint une grande subtilité dans leur utilisation des données linguistiques.

Les analyses lexicologiques sont généralement liées à l'étude des cultures dites exotiques. Dans son livre *Language,*

Thought and Reality, Benjamin Lee Whorf est allé plus loin
que Boas, en suggérant que chaque langue contribue pour
une part importante à structurer le monde perceptif de
ceux qui la parlent.

« Nous découpons la nature selon les lignes établies par
notre langue. Les catégories et les types que nous isolons
dans le monde phénoménal ne s'y trouvent nullement... Bien
au contraire le monde se présente comme un flux kaléi-
doscopique d'impressions qui doivent être organisées par
notre esprit, c'est-à-dire essentiellement par nos systèmes
linguistiques. Si nous sommes en mesure de découper la
nature, de l'organiser en concepts et de leur attribuer des
significations, c'est en grande partie parce que nous avons
donné notre accord à une organisation de ce type — accord
qui constitue notre communauté de parole et qui est codifié
dans les structures de notre langue. Il s'agit naturellement
d'un accord implicite et non formulé, mais dont les termes
sont absolument contraignants ; en fait, il nous est impossible de parler sans souscrire au mode d'organisation et de
classification du donné que cet accord a décrété. »

Whorf continue par des remarques importantes pour la
science moderne : « *... Aucun individu n'est libre de décrire
la nature avec une impartialité absolue, mais contraint au
contraire à certains modes d'interprétation alors même qu'il
se croit le plus libre.* » (C'est nous qui soulignons.)

Whorf consacra des années à l'étude du hopi, la langue
des Indiens qui vivent sur les plateaux désertiques du nord
de l'Arizona. Rares, si même il en existe, sont les Blancs
qui peuvent se vanter d'avoir dominé la langue hopi dans
toute la complexité de son maniement. Whorf comprit une
partie des difficultés qu'elle présente lorsqu'il commença à
saisir les concepts hopi de temps et d'espace. En hopi, il n'y
a pas de mot qui soit l'équivalent de « temps », en anglais.
Dans la mesure où les concepts de temps et d'espace sont
inextricablement liés, l'élimination de la dimension temps
affecte également la dimension espace.

« La pensée hopi ne possède pas d'espace imaginaire...
Elle ne peut situer une idée concernant l'espace réel que

dans cet espace réel, ni davantage isoler l'espace de la contamination de la pensée. » En d'autres termes, les Hopi sont incapables d'« imaginer », au sens où nous l'entendons, un lieu tel que le ciel ou l'enfer des missionnaires. Il semble bien qu'il n'existe pas pour eux d'espace abstrait, susceptible d'être rempli par des objets. Même les métaphores spatiales de la langue anglaise leur sont totalement étrangères. Des expressions comme « saisir le fil » d'un raisonnement ou « faire le point » d'une discussion n'ont aucun sens pour les Hopi.

Bien que les Hopi construisent de solides maisons de pierre, leur vocabulaire concernant les espaces tridimensionnels est d'une singulière pauvreté ; ils possèdent peu d'équivalents pour les mots pièce, chambre, hall, passage, crypte, cave, grenier, etc. Mieux, remarque Whorf, « la société hopi ne révèle l'existence d'aucune appartenance individuelle des pièces ni d'aucune relation entre elles ». Le concept hopi de pièce correspond à une sorte de microcosme car « les espaces vides, correspondant à une pièce, une chambre ou un hall ne sont pas vraiment *nommés* à la manière des objets, mais sont plutôt localisés ; en fait, les positions des autres objets sont précisées de façon à faire apparaître leur situation dans ces espaces vides ».

Antoine de Saint-Exupéry écrivait et pensait en français. Comme d'autres écrivains, il s'intéressait à la fois aux problèmes du langage et de l'espace.

Dans *Pilote de guerre*, il a exprimé ses vues sur les fonctions de l'espace du langage : « Mais je comprends aussi que rien de ce qui concerne l'homme ne se compte, ni ne se mesure. L'étendue véritable n'est point pour l'œil, elle n'est accordée qu'à l'esprit. Elle vaut ce que vaut le langage, car c'est le langage qui noue les choses. »

Edward Sapir qui fut le maître de Whorf parle lui aussi en termes éclairants de la relation de l'homme avec le monde dit objectif : « Il est tout à fait illusoire d'imaginer que l'adaptation des individus au réel peut se faire sans l'usage fondamental du langage et que le langage n'est qu'un moyen accessoire pour la solution des problèmes spécifiques de la

communication ou de la réflexion. En fait, « le monde réel »
est pour une large mesure construit d'après l'*habitus* linguistique des différents groupes culturels. »

L'influence de Sapir et de Whorf s'est étendue bien au-delà
des limites de la linguistique descriptive et de l'anthropologie. Elle m'a en particulier incité à utiliser le petit dictionnaire d'Oxford pour extraire tous les termes se rapportant
à l'espace ou ayant une connotation spatiale, tels que :
ensemble, distant de, dessus, dessous, loin de, relié, contenu
dans, pièce, errer, tomber, niveau, debout, adjacent,
congruent, etc. Une liste préliminaire couvrait près de cinq
mille termes se rapportant à l'espace. Ce nombre représente
20 % de la totalité des mots inclus dans le petit dictionnaire
d'Oxford. En dépit d'une connaissance approfondie de ma
propre culture, je ne m'attendais pas à cette découverte.

En employant la méthode historique, le professeur français Georges Matoré analyse dans *l'Espace humain* les métaphores contenues dans les textes littéraires, pour essayer
de définir ce qu'il appelle « la géométrie inconsciente » de
l'esprit humain. Son analyse fait apparaître la distance prise
par rapport à l'imagerie spatiale de la Renaissance — géo-
métrique et intellectuelle — au profit de la « sensation »
de l'espace. Aujourd'hui, la notion d'espace est davantage
liée à celle de *mouvement,* et au-delà de l'espace visuel tend
vers un espace plus profondément lié aux autres sens.

LA LITTÉRATURE COMME CLEF DE LA PERCEPTION

L'analyse que Matoré fait de la littérature n'est pas sans
analogie avec celle que j'ai poursuivie moi-même au cours
de mes recherches. Les écrivains comme les peintres se
préoccupent souvent de l'espace. Leur réussite sur le plan
de la communication des perceptions dépend de la qualité
des indices visuels ou autres qu'ils choisissent pour faire
saisir les différents degrés de proximité. A la lumière de
l'ensemble des recherches sur le langage, il m'était apparu
qu'une étude de la littérature pourrait m'apporter sur la

perception de l'espace des données susceptibles d'être ultérieurement confrontées à des indications émanant de sources différentes. La question qui se posait à moi était de savoir si les textes littéraires pouvaient être utilisés en tant que données véritables sur la perception ou s'il fallait les considérer comme de simples descriptions. Que se passerait-il si, au lieu de considérer les images employées par les auteurs comme des conventions littéraires, on les étudiait soigneusement en les considérant comme des systèmes rigoureux de réminiscence destinés à libérer les souvenirs ? Pour cela, il fallait étudier les textes littéraires, non pas en vue de la simple délectation ou afin d'en saisir les thèmes ou l'intrigue, mais avec pour objectif précis la détermination des composantes fondamentales du message que l'auteur fournit au lecteur pour construire son propre sentiment de l'espace. Il faut se rappeler que la communication s'instaure à plusieurs niveaux qui ne présentent pas forcément les mêmes caractéristiques. Je décidai donc de considérer exclusivement les données sensorielles décrites par nous aux chapitres IV, V, VI. Les citations qui suivent ont forcément dû être isolées de leur contexte et perdent de ce fait une part de leur sens originel. Pourtant, même dans ces conditions, elles révèlent comment de grands écrivains perçoivent et communiquent à leur lecteur la signification et les usages de la distance en tant que facteur culturel important dans les rapports interpersonnels.

Si l'on en croit Marshall McLuhan, le premier usage de la perspective visuelle à trois dimensions dans la littérature apparut dans *le Roi Lear*. Il s'agit de la scène où Edgar tente de convaincre Gloucester, devenu aveugle, qu'ils se trouvent au bord des falaises de Douvres :

« Avancez, monsieur ; voici l'endroit ; halte ! Quel effroi et quel vertige de jeter les yeux si bas ! Les corneilles et les choucas qui volent à mi-hauteur semblent à peine aussi gros que des carabes ; à mi-falaise un homme est accroché qui cueille du perce-pierre, terrible métier ! Il ne me paraît pas plus gros que sa tête. Les pêcheurs qui marchent sur la grève ont l'air de souris, et là-bas ce grand navire est réduit

à la taille de sa chaloupe, sa chaloupe elle-même une bouée
si petite qu'on la voit à peine. Le flot murmurant, qui contre
les innombrables et futiles galets fait rage, on ne peut
l'entendre de si haut. Je ne veux plus regarder ; la tête qui
me tourne et mes yeux qui se troublent me précipiteraient
en bas [1]. »

Shakespeare accumule les images visuelles pour renforcer
l'effet de la distance, telle qu'elle apparaît d'un lieu élevé.
L'intervention du son marque le sommet du passage. A la
fin, comme au début, la sensation de vertige est évoquée,
et le lecteur se sent presque vaciller au bord du précipice
avec Gloucester.

Le livre de Thoreau, *Walden*, fut publié il y a cent ans,
mais il aurait pu être écrit hier.

« Pour moi, l'un des inconvénients d'une si petite maison
résidait dans la difficulté que j'éprouvais à me mettre à une
distance suffisante de mon visiteur lorsque nous abordions
les réflexions profondes, les grands mots. Il faut de l'espace
pour que les pensées aient le temps de hisser la voile et
de tirer quelques bords avant de toucher au port. Les balles
tirées par notre esprit doivent avoir subi les effets de
déviation latérale et de ricochet et adopté leur trajectoire
définitive pour atteindre l'oreille de l'auditeur, ou alors
elles risquent fort, par un nouveau bond latéral, de sortir
de son esprit. Nos phrases aussi ont besoin d'espace pour
déployer et reformer leurs colonnes dans les intervalles de
la conversation. Comme les nations, les individus doivent
posséder leurs frontières, naturelles et largement calculées,
et même bénéficier d'importants espaces pour les séparer
les uns des autres... Dans ma maison, la promiscuité était
telle que nous ne pouvions même commencer à écouter...
Dans le cas de bavards invétérés et de bruyants causeurs,
la promiscuité est admissible jusque dans le coude à coude
et la rencontre des haleines. Mais dès que la conversation
implique réserve et réflexion, le besoin se fait sentir d'une

---

1. *Les Tragédies de William Shakespeare,* nouvelle traduction de
Pierre Messiaen, Paris, Desclée de Brouwer, 1960, IV, 847.

distance qui puisse neutraliser toute cette chaleur et cette
moiteur animales. »

Dans ce seul court passage, Thoreau recoupe de nombreuses analyses de notre ouvrage. La façon dont il éprouve
le besoin de demeurer en deçà des zones olfactive et thermique (zones à l'intérieur desquelles on peut sentir l'haleine
des autres et percevoir la chaleur de leur corps), de même
que la manière dont il s'appuie contre le mur afin d'obtenir
plus d'espace pour proférer des réflexions importantes, tout
cela fait apparaître certains des mécanismes inconscients
qui assurent l'évaluation et l'établissement de la distance.

J'étais encore enfant lorsque je lus pour la première fois
The Way of All Flesh de Butler. J'ai depuis lors toujours
conservé le souvenir des images si aiguës qu'il emprunte
à l'espace. Tout écrit susceptible de marquer encore après
trente-cinq ans mérite la relecture, et c'est ainsi que je relus
Butler. J'y retrouvai en particulier la scène où Christina,
la mère d'Ernest, se sert si habilement du divan pour littéralement extraire la confession de son fils :

« Mon garçon chéri, commença la mère, *s'emparant de la
main de l'enfant*, promets-moi de ne jamais avoir peur ni
de ton cher papa, ni de moi-même ; promets-le-moi, mon
petit, au nom de ton amour pour moi, promets-le-moi »,
et elle *l'embrassa longuement et lui caressa les cheveux*.
Mais, de son autre main, elle tenait toujours celle d'Ernest ;
elle avait pris possession de lui et elle était bien décidée
à ne pas le lâcher... « De ta vie *intérieure*, mon cher enfant,
nous ne savons rien à part les bribes que nous parvenons
à glaner malgré toi, celles que tu laisses échapper presque
avant de savoir que tu les as dites. » A ces mots, le visage
de l'enfant se contracta. Il fut tout entier envahi par une
impression *de chaleur et de malaise*. Il savait parfaitement
combien il devait se tenir sur ses gardes, et pourtant, malgré
ses efforts, de temps à autre l'oubli de son rôle le trahissait
et l'entraînait hors de sa réserve habituelle. Sa mère *le vit
tiquer* et savoura la gêne qu'elle lui avait causée. Moins sûre
de la victoire, elle aurait plus aisément renoncé au plaisir
de le toucher — comme elle aurait fait des cornes d'un

escargot, pour la simple jouissance de voir l'animal les
ressortir après les avoir rétractées — mais elle savait
qu'après l'avoir attiré sur le sofa, sa main dans la sienne,
elle tenait l'ennemi à sa merci et pouvait pratiquement faire
ce qu'elle voulait... » (C'est nous qui soulignons.)

Butler manie la notion de distance intime avec force et
acuité. L'effet de la promiscuité physique, le ton de la voix,
la rougeur brûlante de l'angoisse, la façon dont la mère
perçoit le trouble de son fils, montrent avec quelle efficacité
et quelle concertation la « bulle » personnelle de l'enfant a
été pénétrée par la mère.

Chez Mark Twain, la distorsion de l'espace devient une
véritable marque de fabrique. Le lecteur voit et entend des
choses impossibles à des distances impossibles. Habitant
aux confins des Grandes Plaines, Mark Twain subissait leur
fascination. Ses images vous poussent et vous attirent, vous
dilatent ou vous contractent jusqu'au vertige. Son incroyable sentiment des paradoxes de l'espace est bien illustré
dans *Captain Stormfield's Visit to Heaven*. Le capitaine
Stormfield, en route pour le Paradis depuis trente ans, décrit
à son ami Peters comment il fit la course avec une comète
d'une taille peu commune :

« Bientôt, j'arrivai au niveau de sa queue. Savez-vous à
quoi elle ressemblait ? A un gros moustique approchant le
continent américain. Je continuai d'avancer avec difficulté.
Bientôt, j'eus parcouru le long de sa côte plus de deux cent
cinquante millions de kilomètres et je pus distinguer d'après
sa forme que je n'avais même pas atteint la hauteur de sa
taille. »

Suit alors la description de la course et de l'intérêt qu'elle
déchaîne chez les « cent milliards de passagers » qui « remontent en masse des profondeurs », pour y assister.

« Eh ! bien, monsieur, je gagnai du terrain progressivement, pied à pied, jusqu'au moment où j'affleurai en douceur
aux abords du nez de cet antique et somptueux embrasement
sidéral. Mais d'ores et déjà le commandant de la comète
avait été alerté et il se tenait là, dans la rougeur du brasier,
auprès de son second, en bras de chemise et en pantoufles,

les cheveux en broussaille, la bretelle pendante. Que ces deux hommes faisaient mal à voir. Je ne parvins littéralement pas à m'empêcher de leur faire un pied de nez, tandis qu'en les dépassant je leur chantai : « Ta-ta ! ta-ta ! Pas de message pour la famille ? » Peters, ce fut là une erreur. Oui, mon vieux, ça je l'ai souvent regretté — ce fut une erreur. »

Le paradoxe une fois dépouillé, le récit de Mark Twain offre un grand nombre de précisions et de détails réalistes concernant la distance. Cela est dû au fait que toute description doit, pour être valable, respecter une certaine cohérence entre les détails perçus et les distances auxquelles ils peuvent effectivement être perçus, tels la chevelure du commandant et l'expression de son visage ainsi que celle de son second. Ce genre d'observation n'est possible que dans les limites inférieures de la distance dite « publique » (voir chapitre x). Opposée à celle-ci, il y a la distance à laquelle se trouve le capitaine Stormfield par rapport à son interlocuteur, Peters, qui, elle, est très faible.

Saint-Exupéry avait un sens raffiné de l'espace personnel et intime ; il savait aussi le rôle que jouent le corps et les sens dans la communication avec autrui. Dans les passages suivants de *Vol de nuit* [1], trois courtes phrases mettent en jeu trois sens et trois types de distances correspondantes.

« Elle se leva, ouvrit la fenêtre, et reçut le vent dans le visage. Cette chambre dominait Buenos Aires. Une maison voisine, où l'on dansait, répandait quelques mélodies, qu'apportait le vent, car c'était l'heure des plaisirs et du repos. »

Un peu plus tard, tandis que son mari, l'aviateur, est encore assoupi :

« ...Elle regardait ses bras solides qui, dans une heure, porteraient le sort du courrier d'Europe, responsables de quelque chose de grand, comme du sort d'une ville.

« ...Ces mains tendres n'étaient qu'apprivoisées, et leurs vrais travaux étaient obscurs. Elle connaissait les sourires de cet homme, ses précautions d'amant, mais non, dans l'orage, ses divines colères. Elle le chargeait de tendres

1. Gallimard, 1931.

liens : de musique, d'amour, de fleurs ; mais à l'heure de chaque départ, ces liens, sans qu'il en parût souffrir, tombaient.

« Il ouvrit les yeux.

— Quelle heure est-il ?

— Minuit. »

Dans *le Procès*, Kafka oppose le comportement des Nordiques et celui des Méditerranéens. Le passage suivant concerne la distance olfactive :

« Il répondit par quelques phrases de politesse ; l'étranger (l'Italien) les prit encore en riant, il caressait nerveusement sa grosse moustache gris-bleu. Cette moustache devait être parfumée, on était presque tenté de la toucher et de la sentir [1]. »

Kafka est très sensibilisé à son propre *corps* et à *l'espace nécessaire au mouvement*. Pour lui, l'atteinte à la liberté de mouvement est le critère de l'entassement.

« Mais l'Italien, ayant enfin regardé sa montre, se leva rapidement et, après avoir pris congé du directeur, s'approcha de K. si près que celui-ci dut reculer son fauteuil pour conserver la liberté de ses mouvements. Le directeur, lisant certainement dans ses yeux la détresse où il se trouvait en face de cet Italien, se mêla alors à la conversation, et si finement qu'il eut l'air de ne donner que de petits conseils, alors qu'en réalité il expliquait brièvement à K. tout ce que disait le client qui ne cessait de lui couper la parole. »

« ... En repassant par la grande nef pour retrouver la place à laquelle il avait laissé son album, il remarqua contre un pilier qui touchait presque les bancs du chœur une petite chaire supplémentaire, toute simple, en pierre blanche et nue. Elle était si petite que de loin elle avait l'air d'une niche encore vide destinée à recevoir une statue. Le prédicateur ne pouvait sûrement pas *s'éloigner de l'appui* d'un seul pas. De plus, la voûte de pierre de la chaire commençait extrêmement bas et s'élevait sans aucun ornement, mais suivant une telle courbe, qu'un homme de taille

---

1. *Le Procès*, traduction d'Alexandre Vialatte, Gallimard, 1943.

moyenne ne pouvait pas se tenir droit dans la tribune et se trouvait obligé de rester constamment penché en dehors de l'appui. Le tout semblait organisé pour le supplice du prédicateur [1]... »

L'utilisation du mot « supplice » montre bien chez Kafka la conscience du rôle que peut jouer l'architecture dans la communication. L'oppression de ses espaces kinesthésiques libère chez le lecteur des sentiments inconscients engendrés autrefois par des tortures architecturales et lui rappelle à nouveau que son corps est plus qu'une simple coquille, plus que l'occupant passif d'un volume mesurable.

Le romancier japonais Yasunari Kawabata nous livre un peu de la saveur propre à la vie des sens au Japon. La première scène que nous citons se passe en plein air ; la seconde est plus intime. Le roman est construit sur les transferts opérés d'un sens à l'autre dans le rapport avec l'environnement et sur les états d'âme qui leur sont associés.

« Il devait, dit-il, se rendre à la poste avant l'heure de la fermeture, et ils quittèrent tous les deux la pièce.

« Mais, à la porte de l'auberge, il fut soudain attiré par la montagne et sa violente odeur de feuilles neuves. Et, sans plus, il entreprit de la gravir.

« Lorsqu'il sentit la première fatigue peser agréablement sur son corps, il fit brusquement demi-tour, et, rentrant les pans de son kimono dans son obi, il dévala la pente en sens contraire à toute allure. »

De retour à l'auberge, sur le point de retourner à Tokyo, Shimamura parle à sa geisha :

« ... Tandis qu'elle souriait, elle pensa « à ce moment-là » et les paroles de Shimamura progressivement colorèrent tout son corps. Lorsqu'elle inclina la tête... il put voir que même son dos, sous le kimono, était devenu d'un rouge intense. Rehaussée par la couleur de ses cheveux, la peau, moite et sensuelle, semblait s'étaler nue devant lui. »

Lorsqu'on examine les œuvres littéraires du point de vue des structures plutôt que des contenus, on peut découvrir

1. C'est nous qui soulignons.

des éléments qui éclairent l'histoire et les modifications apparues dans la contribution des différents sens. Pour moi, il n'y a pas de doute que ces variations sont liées aux différents types d'environnements que l'homme a adoptés selon les époques et les cultures. J'aurais voulu, au terme de ces analyses trop rapides, avoir prouvé que la littérature est, outre ses autres aspects, une source d'informations sur la façon dont l'homme utilise ses sens. En ce qui me concerne, les différences historiques et culturelles sont tout à fait évidentes. Mais ces différences ne sont pas forcément aussi nettes pour les lecteurs qui ne s'intéressent qu'au contenu des livres.

Les deux chapitres suivants traitent des mêmes faits, mais d'un point de vue autre ; ils envisagent la manière dont l'homme structure l'espace (fixe, semi-fixe, ou mouvant), ainsi que les types de distances qu'il utilise dans ses rapports avec autrui. En d'autres termes, nous tenterons de décrire les éléments structurels qui devraient être utilisés dans la conception de nos villes et de nos habitations.

9

L'anthropologie de l'espace :
un modèle d'organisation

Nous avons consacré plusieurs chapitres aux concepts de territorialité, d'espacement, et de contrôle démographique. J'ai employé le terme d'*infraculture* pour désigner le comportement caractéristique des niveaux d'organisation plus frustes sous-jacents à la culture. Ce terme fait partie du système de classification proxémique et implique un ensemble spécifique de niveaux relationnels avec les autres parties de ce système. Le lecteur se rappelle que le terme de proxémie définit l'ensemble des observations et des théories concernant l'usage de l'espace par l'homme.

Les chapitres IV, V et VI étaient consacrés aux différents sens en tant que base physiologique universelle, à laquelle la culture confère structure et signification. C'est à ce fondement sensoriel préculturel que le savant doit inévitablement se référer lorsqu'il compare les modèles proxémiques de deux cultures différentes. Nous avons donc déjà rencontré deux niveaux proxémiques. Le premier, *infraculturel*, concerne le comportement et il est enraciné dans le passé biologique de l'homme. Le second, *préculturel*, est physiologique et appartient essentiellement au présent. Un troisième niveau, *microculturel*, est celui où se situent la plupart des observations proxémiques. On peut y distinguer trois aspects de l'espace, selon qu'il présente une organisation rigide, semi-rigide, ou « informelle ».

Bien qu'il soit extrêmement difficile de transposer les éléments d'un niveau à l'autre, le savant doit parfois s'y risquer, ne serait-ce que pour ne pas perdre de vue l'ensemble du problème. En effet, sans systèmes de pensée globaux permettant d'intégrer un ensemble de niveaux, on court le danger d'être coupé du réel et de sombrer dans une sorte de schizoïdie. Par exemple, si l'homme continue d'ignorer les faits observés au niveau infraculturel concernant les conséquences du surpeuplement, il risque de provoquer un équivalent du comportement cloacal, si ce n'est pas déjà fait. L'aventure des cerfs de l'île James évoque l'image macabre de la peste qui anéantit les deux tiers de la population de l'Europe au milieu du xive siècle. Bien que cette mortalité massive ait été causée par le *bacillus pestis*, la virulence de ce dernier fut incontestablement accrue par l'état de moindre résistance qu'avaient entraîné pour leurs habitants le surpeuplement des villes médiévales et l'état de *stress* qui en résultait.

Les difficultés méthodologiques qui surgissent lorsqu'on essaie de traduire les données proxémiques d'un niveau à l'autre sont dues au *caractère essentiellement indéterminé de la culture*, comme je l'ai indiqué dans *The Silent Language*. L'indétermination culturelle résulte du grand nombre de niveaux que mettent en jeu les événements culturels et de l'impossibilité pour le chercheur d'étudier simultanément, et avec un égal degré de précision, le même événement à deux ou plusieurs niveaux d'analyse ou de comportement très différents.

Le lecteur s'en convaincra facilement en tentant, lorsqu'il parle, de faire porter simultanément son attention sur l'aspect phonétique (la production des sons) et l'aspect oratoire de son discours. Par aspect phonétique, nous n'entendons pas seulement ici une élocution claire et distincte, mais le fait de prendre conscience de la position de la langue et des lèvres, de la vibration des cordes vocales, et du mode de respiration déterminé par les diverses syllabes. Mais ajoutons quelques remarques concernant notre concept d'indétermination culturelle. Tous les organismes sont étroitement soumis au processus de la redondance ; en effet, l'information transmise par un système donné est, en cas de défaillance, assurée par d'autres systèmes. L'homme lui-même est programmé par la culture de façon très fortement redondante. S'il n'en était pas ainsi, il ne pourrait ni parler, ni agir ; ces activités exigeraient trop de temps. Chaque fois qu'il parle en effet, il n'énonce qu'une partie du message. Le reste est complété par l'auditeur. Une grande partie de ce qui n'est pas dit est admis implicitement. Mais la teneur du message implicite varie selon les cultures. En Amérique, par exemple, il est inutile d'indiquer au cireur de chaussures la couleur du cirage à employer. Au Japon, en revanche, l'Américain devra donner cette précision, s'il ne veut pas risquer de retrouver noires ses chaussures jaunes. La fonction d'un modèle conceptuel et d'un système de classification sera donc de rendre explicites les éléments implicites contenus dans les communications et d'indiquer la nature de leurs rapports.

Mes recherches au niveau infraculturel m'ont aidé à créer des modèles pour l'étude de la proxémie au niveau culturel. Contrairement à l'opinion courante, le comportement territorial est à tout stade de la vie (qu'il s'agisse de séduire un partenaire sexuel ou d'élever les petits) parfaitement fixe et rigide. Les limites des territoires demeurent pratiquement constantes, ainsi que la localisation sur le territoire d'activités spécifiques telles que le sommeil, la nutrition, la nidation. Le territoire est au plein sens du terme un prolongement de l'organisme, marqué de signes visuels, vocaux et olfactifs. L'homme lui aussi s'est créé des prolongements territoriaux matériels, ainsi qu'un ensemble de signes territoriaux visibles et invisibles. Aussi, dans la mesure où la territorialité est relativement fixe, j'ai nommé ce type d'espace au niveau proxémique, *espace à organisation fixe*. C'est celui que nous étudierons maintenant avant d'envisager les espaces à organisation semi-fixe et les espaces « informels ».

ESPACE A ORGANISATION FIXE

L'espace à organisation fixe constitue l'un des cadres fondamentaux de l'activité des individus et des groupes. Il comprend des aspects matériels, en même temps que les structures cachées et intériorisées qui régissent les déplacements de l'homme sur la planète. Les bâtiments construits sont un exemple d'organisation fixe. De même, leur mode de groupement comme leur mode de partition interne correspond également à des structures caractéristiques déterminées par la culture. L'organisation des villages, des petites et des grandes villes et de la campagne qui les entoure, n'est pas l'effet du hasard mais le résultat d'un plan délibéré qui varie avec l'histoire et avec la culture.

Même l'intérieur de la maison occidentale comporte une organisation fixe de l'espace. On y trouve des pièces particulières correspondant à des fonctions particulières telles que la préparation de la nourriture, la consommation des repas, la réception et les activités sociales, le repos et le sommeil, la procréation, et même l'hygiène. Si, comme c'est parfois le cas, les objets ou les activités associés à un espace donné se trouvent transférés dans un autre, on s'en aperçoit immédiatement. Les personnes qui vivent dans le désordre ou dans un capharnaüm permanent sont celles qui échouent à classer leurs activités dans un cadre spatial unifié, cohérent ou prévisible. (L'antithèse absolue de cette attitude est représentée par la chaîne de production qui classe rigoureusement les objets à la fois *dans le temps et l'espace*.)

La disposition intérieure actuelle des habitations que les Américains ou les Européens considèrent comme allant de soi est en fait une acquisition récente. Comme l'indique Philippe Ariès dans *l'Enfant et la Vie familiale sous l'Ancien Régime*, jusqu'au XVIIIe siècle les pièces n'avaient pas de fonctions fixes dans les maisons européennes. Les membres de la famille ne pouvaient pas s'isoler comme ils le font aujourd'hui. Il n'existait pas d'espaces privés ou spécialisés.

Les personnes étrangères à la maison allaient et venaient à leur gré, tandis que les lits ou les tables étaient dressés ou enlevés selon l'humeur ou l'appétit des occupants. Les enfants étaient habillés ou traités en petits adultes. Il n'est donc pas surprenant que les concepts corrélatifs d'enfance et de cellule familiale n'aient pu apparaître avant la spécialisation fonctionnelle des pièces et leur isolation. Au XVIIIᵉ siècle, la structure de la maison changea. En français, on distingua la *chambre* de la *salle*. En anglais, le nom donné aux diverses pièces désigna leur fonction — *bedroom, living-room, dining-room.* Les pièces furent disposées de façon à ouvrir sur un couloir ou un hall comme des maisons sur une rue. Dès lors les occupants cessèrent de traverser les pièces en enfilade. Délivrée de cette atmosphère de kermesse, et protégée par de nouveaux espaces, la structure familiale commença à se stabiliser et s'exprima bientôt dans la morphologie des maisons.

L'ouvrage de Goffman intitulé *The Presentation of Self in Everyday Life* offre des observations fines et détaillées sur les rapports entre la façade que les gens présentent au monde et le moi qu'elle leur sert à dissimuler. L'emploi du mot façade est par lui-même révélateur : il marque bien la reconnaissance des strates protectrices du moi et le rôle joué par les éléments architecturaux qui fournissent les écrans derrière lesquels on se retire périodiquement. Maintenir une façade peut exiger une grande dépense nerveuse. L'architecture est en mesure de décharger les humains de ce fardeau. Elle peut également leur fournir le refuge où « se laisser aller » et être simplement soi-même.

Les conventions, non plus que le malaise éprouvé par les dirigeants de sociétés si leurs employés ne sont pas visuellement présents, ne suffisent pas à expliquer pourquoi si peu d'hommes d'affaires installent leur bureau à leur domicile. J'ai remarqué à ce propos que beaucoup d'hommes semblent avoir deux personnalités, une pour la maison, et une pour le bureau. En pareil cas, la séparation du lieu d'habitation et du lieu de travail permet d'éviter les conflits entre les deux personnalités, souvent incompatibles, et peut même contribuer à fixer pour chacune une forme idéalisée, conforme à la double image projetée par l'architecture et la décoration.

Le double lien de l'espace à caractère fixe avec la personnalité et la culture n'est nulle part aussi évident que dans la cuisine. Ainsi, mes interviews m'ont permis de constater la profondeur du conflit lorsqu'une cuisine devient le champ d'affrontement de deux micro-modèles d'espace. Ma femme, qui pendant des années s'est trouvée aux prises avec des cuisines de tous types, critique la conception essentiellement masculine de leurs plans : « Si un seul des hommes qui ont conçu cette cuisine y avait jamais travaillé, il n'aurait pas choisi cette solution. » Bien que ce ne soit pas évident à première vue, on reste souvent stupéfié par le manque de corrélation entre le design de cet espace et les activités qui s'y déroulent, ainsi que la stature et les caractères du corps féminin (les femmes ne sont généralement pas assez grandes pour atteindre le haut des placards). Taille, forme, disposition et localisation de la cuisine dans la maison, indiquent également à la maîtresse de maison le niveau de connaissance de l'architecte ou du designer quant au maniement des caractères fixes.

Le sens de son orientation correcte dans l'espace est ancré dans les profondeurs de l'homme. Ce type de connaissance engage en dernière analyse sa vie même et sa santé mentale. Etre désorienté dans l'espace est une aliénation. En cas d'urgence, l'écart entre un réflexe rapide et une seconde de réflexion peut décider de la vie ou de la mort, règle applicable à la fois au conducteur qui se fraie son chemin dans le flot des voitures et au rongeur qui ruse en face des bêtes de proie. Lewis Mumford observe que le quadrillage uniforme de nos cités « permet aux étrangers de s'y sentir aussi à l'aise que les plus anciens habitants ». Les Américains qui ont pris l'habitude du plan en échiquier sont souvent gênés ou frustrés par les autres structures. Il leur est difficile de se sentir à l'aise dans les capitales européennes qui ne se conforment pas à ce plan élémentaire. Ceux qui voyagent ou vivent à l'étranger se perdent fréquemment. Le ton

de leurs récriminations révèle le lien qui existe entre le plan
urbain et la personne. A peu près sans exception, le nouveau
venu utilise les mots et le ton associés à l'affront personnel,
comme si la ville lui en voulait. Il n'est pas étonnant que les
personnes habituées au plan radioconcentrique français ou
à l'échiquier romain éprouvent des difficultés dans un pays
comme le Japon où la structure à caractère fixe est fonda-
mentalement et radicalement différente. En fait, on ne pourrait concevoir deux systèmes formant un meilleur contraste.
Les systèmes européens mettent l'accent sur les lignes qu'ils
désignent par des noms ; les Japonais ne s'intéressent qu'aux
intersections en oubliant les lignes qui les déterminent. Au
Japon ce sont les croisements qui portent un nom et point
les rues. Au lieu d'être ordonnées dans l'espace, les maisons
y sont ordonnées dans le temps et numérotées dans l'ordre
de leur construction. La structure japonaise met l'accent sur
les hiérarchies qui se développent autour des centres ; le
plan américain a pour conséquence ultime l'uniformité de
la suburbie, dans la mesure où sur une même ligne tous
les nombres sont identiques. Dans un quartier japonais, la
première maison constitue pour les habitants de la maison 20 le signe permanent qui leur rappelle que la maison 1
a été édifiée la première.

Certains aspects de l'espace à caractère fixe ne sont perceptibles que si l'on observe le comportement humain qui
s'y inscrit. Par exemple, bien que la salle à manger séparée
disparaisse rapidement de la maison américaine, la ligne
séparant l'espace consacré au repas du reste du séjour n'en
est pas moins bien réelle. La frontière invisible qui sépare
les jardins individuels dans la suburbie constitue aussi un
caractère fixe de la culture américaine, ou tout au moins
de certaines de ses sous-cultures.

Par tradition, les architectes se soucient essentiellement
de l'organisation visuelle de ce qui se voit dans la construction ; ils sont à peu près totalement inconscients du fait que
l'individu transporte avec soi des schémas internes d'espace
à structure fixe, acquis au début de la vie. L'Arabe n'est pas
seul à se sentir déprimé s'il ne dispose pas d'un espace

suffisant, il en est de même pour beaucoup d'Américains. Comme le disait l'un de mes sujets : « Je peux supporter à peu près n'importe quoi pourvu que je dispose de pièces spacieuses, et de hauts plafonds. Voyez-vous, j'ai été élevé à Brooklyn dans une vieille demeure, et je n'ai jamais pu m'habituer à rien d'autre. » Il existe heureusement un petit nombre d'architectes qui prennent le temps de découvrir les schémas internes individuels qui sous-tendent les besoins de leurs clients en matière d'espace à caractère fixe. Toutefois, le client particulier ne constitue pas mon principal souci. Le problème qui se pose à nous aujourd'hui dans la conception et la reconstruction de nos villes est de parvenir à comprendre les besoins du plus grand nombre. Nous édifions de gigantesques immeubles à appartements ou bureaux sans avoir aucune compréhension des besoins de leurs occupants.

Il est essentiel de comprendre que l'espace à caractère fixe constitue le moule qui façonne une grande partie du comportement humain. C'est à ce rôle fondamental que Winston Churchill faisait allusion quand il disait : « Nous donnons des formes à nos constructions, et, à leur tour, elles nous forment. » Au cours du débat sur la restauration de la Chambre des communes, après la guerre, Churchill exprima la crainte que l'abandon de la structure intime de l'espace de la Chambre où les adversaires se font face de part et d'autre d'une étroite allée n'en arrive à altérer la structure même du pouvoir politique. Il n'est certes pas le premier à avoir souligné l'influence de l'espace à caractère fixe sur le comportement, mais personne ne l'a fait en termes aussi lapidaires.

L'une des différences de base entre les cultures tient au fait qu'elles prolongent respectivement des éléments anatomiques et des comportements différents de l'organisme. Dans chaque cas d'emprunt culturel, l'élément emprunté doit être adapté par la culture empruntante. Sinon, anciens et nouveaux éléments ne s'accordent pas et peuvent, dans certains cas, impliquer des structures contradictoires. C'est ainsi que le Japon, par exemple, a éprouvé des difficultés à intégrer l'automobile dans une culture où les lignes (routes et autoroutes) ont moins d'importance que leurs points d'intersection. C'est pourquoi les embouteillages de Tokyo comptent parmi les plus célèbres du monde. L'automobile n'est pas davantage adaptée à l'Inde où les villes sont particulièrement encombrées et où la société possède une structure hiérarchique complexe. A moins que les ingénieurs indiens ne parviennent à concevoir des routes qui isolent les piétons des véhicules rapides, la conscience de classe et le mépris des conducteurs à l'égard des pauvres continueront de provoquer des catastrophes. Même les grands édifices construits par Le Corbusier à Chandigarh, capitale du Pendjab, ont dû être modifiés par les résidents pour les rendre habitables. Les Indiens ont muré les loggias de Le Corbusier pour les transformer en cuisines. De même, les Arabes émigrés aux Etats-Unis découvrent que leurs propres normes et structures concernant l'espace à caractère fixe ne sont pas compatibles avec les logements américains. Ils s'y sentent oppressés : les plafonds sont trop bas, les pièces trop petites, la protection contre l'extérieur insuffisante et les perspectives intérieures sont inexistantes.

D'ailleurs, les heurts entre schèmes internes et externes ne se produisent pas seulement entre cultures différentes. Avec l'expansion de notre propre technologie, la climatisation, la lumière fluorescente et l'insonorisation ont rendu possible la construction d'habitations et de bureaux dans la conception desquels on a pu se passer des traditionnels modèles de portes et fenêtres. Ces innovations technologiques aboutissent parfois à la construction de vastes locaux où « le territoire » des dizaines d'employés qui y sont parqués perd toute détermination.

ESPACE A ORGANISATION SEMI-FIXE

Il y a quelques années, Humphry Osmond, médecin réputé, fut chargé de diriger un grand centre de recherches médicales à Saskatchewan. Cet hôpital fut un des premiers où la relation entre l'espace à caractère semi-fixe et le comportement put être clairement démontrée. Osmond avait remarqué que certains espaces, comme les salles d'attente des gares, ont pour effet de maintenir le cloisonnement des individus. Il les appela espaces sociofuges. D'autres espaces, comme les terrasses de café en France ou les comptoirs des vieux « drugstores » américains, provoquent au contraire les contacts. Il les appela espaces sociopètes. L'hôpital qu'il dirige abondait en espaces sociofuges et en possédait fort peu méritant le nom de sociopètes. Davantage, le personnel hospitalier préférait les premiers aux seconds parce que plus faciles à tenir en ordre. Ainsi, dans les halls, les chaises retrouvées en petits cercles après les visites étaient aussitôt après réalignées militairement le long des murs. L'attention du docteur Osmond fut attirée par le cas d'un service nouvellement construit pour les femmes âgées. Tout y était neuf et étincelant, net et propre, l'espace était suffisant, les couleurs attrayantes. Seul inconvénient, plus les patientes demeuraient dans le service, moins elles semblaient converser entre elles. Peu à peu, elles devenaient comme les meubles, définitivement collées aux murs, en silence, à intervalles réguliers entre les lits. En outre, toutes ces femmes paraissaient déprimées.

Reconnaissant que cet espace était sociofuge, Osmond fit appel à un jeune psychologue, Robert Sommer, en vue d'étudier avec le plus de précision possible la relation du mobilier et de la conversation. Cherchant un lieu où observer spontanément des conversations sous une série de formes différentes, il choisit la cafétéria de l'hôpital, dont les tables de un mètre sur deux pouvaient accueillir six personnes. Comme l'indique la figure ci-dessous, ces tables permettaient donc six distances et orientations différentes entre les interlocuteurs.

Cinquante séances d'observation au cours desquelles les conversations furent comptées à intervalles contrôlés révélèrent les faits suivants : les conversations en F-A, de coin, étaient deux fois plus fréquentes qu'en C-B, côte à côte, qui, à leur tour, étaient pourtant trois fois plus fréquentes qu'en

C-D, face à face. Pour les autres positions, Sommer n'enregistra aucune conversation. Autrement dit, la situation de coin où les interlocuteurs se situent de part et d'autre d'un angle droit suscite six fois plus de conversations qu'une situation en face à face à un mètre de distance et deux fois plus que la disposition où les interlocuteurs sont côte à côte.

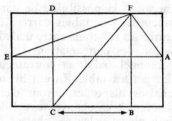

F - A : de part et d'autre d'un coin.
C - B : côte à côte.
C - D : face à face.
E - A : d'un bout à l'autre de la table.
E - F : en diagonale dans la longueur de la table.
C - F : en diagonale dans la largeur de la table.

Ces résultats allaient inspirer une solution au problème posé par le retrait progressif et la non-participation des femmes âgées. Mais, avant de passer aux réalisations, il fallait en quelque sorte préparer le terrain. Comme chacun sait, les êtres tiennent d'une façon profondément personnelle à l'organisation de l'espace et des meubles. Ni le personnel de l'hôpital, ni les patientes n'auraient admis que des étrangers viennent « farfouiller » dans leurs meubles. En tant que directeur, Osmond pouvait donner tous les ordres qu'il désirait, mais il savait bien que le personnel saboterait toute mesure jugée arbitraire. C'est pourquoi la première étape consista à le faire participer à une série « d'expériences ». Sommer et Osmond avaient remarqué que dans le service les malades se trouvaient plus souvent dans les situations des types B-C et C-D (côte à côte et face à face) que dans la cafétéria, et qu'elles s'asseyaient beau-

coup plus loin les unes des autres. En outre, elles ne disposaient d'aucune place pour poser quoi que ce soit, pour
mettre des affaires personnelles. Leur lit et leur chaise
étaient leurs seules marques de territorialité. Aussi les
magazines, par exemple, ne tardaient-ils pas à échouer sur
le plancher d'où ils étaient rapidement balayés par le personnel. De petites tables individuelles représenteraient un
accroissement du territoire individuel de chacune des malades et leur donneraient la possibilité de conserver magazines, livres et papeterie. Des tables carrées contribueraient
en outre à structurer les relations entre malades dans le sens
d'une optimalisation des conversations.

Une fois le personnel séduit et convaincu de participer
à l'expérience, les petites tables furent introduites dans le
service et les chaises disposées autour d'elles. Au début,
les malades résistèrent à ce changement. Elles avaient pris
l'habitude de voir placer « leurs » chaises à des endroits
déterminés et ne supportaient pas qu'elles soient déplacées.
L'esprit de coopération du personnel devait permettre d'imposer et de conserver à peu près intacte la nouvelle disposition jusqu'au moment où celle-ci pût apparaître comme
une solution valable et non comme une vexation à traiter
par le mépris.

A ce stade, on fit à nouveau le compte des conversations.
Leur nombre avait doublé tandis que le taux de lecture avait
triplé, vraisemblablement grâce à l'espace supplémentaire
fourni pour les livres et magazines. Une restructuration analogue de la salle de séjour rencontra les mêmes résistances
et provoqua la même augmentation dans les rapports ver-
baux. Qu'il nous soit ici permis de formuler trois remarques.
Les conclusions tirées des observations précédentes en
milieu hospitalier ne sont pas universellement applicables.
Ainsi, tout d'abord la position de part et d'autre d'un angle
droit vaut *seulement pour :* a) des conversations d'un certain type, b) entre les interlocuteurs entretenant des rapports spécifiques, et c) dans un cadre culturel très limité.
En deuxième lieu, un élément sociofuge dans une culture
donnée peut être sociopète dans une autre culture. En troi-

sième lieu, l'espace sociopète n'est pas plus nécessairement bon que l'espace sociofuge universellement mauvais. Ce qui est souhaitable, c'est la flexibilité de l'espace et une congruence du plan et de la fonction assurant une variété d'espaces qui se prêtent ou non aux contacts selon l'occasion ou l'humeur des individus. L'intérêt de l'expérience canadienne est de montrer que la structuration des éléments à caractères semi-fixes peut avoir un retentissement considérable sur le comportement et que ses effets sont mesurables. Cela ne surprendra pas les maîtresses de maison qui tentent continuellement d'instaurer un équilibre entre espaces à caractère fixe et disposition semi-fixe du mobilier. Beaucoup d'entre elles ont éprouvé par expérience qu'on peut dépenser beaucoup de goût à disposer joliment les meubles d'une pièce pour s'apercevoir finalement que toute conversation y est impossible aussi longtemps que les sièges conservent leur arrangement esthétique. Notons qu'un espace à caractère fixe dans une certaine culture peut être semi-fixe dans une autre, et vice versa. Au Japon, par exemple, les murs sont mobiles : on les ouvre ou on les replie au gré des diverses activités domestiques. Aux Etats-Unis, les gens se déplacent d'une pièce à l'autre ou d'une partie de pièce à une autre pour satisfaire chaque activité particulière, qu'il s'agisse de manger, dormir, travailler, avoir des contacts sociaux. Au Japon, il est très courant de demeurer au même endroit tandis que la nature des activités change. Les Chinois se comportent d'une manière encore différente, en assignant des caractères fixes à des éléments que les Américains considèrent comme semi-fixes. Un invité, en Chine, *n'est pas censé déplacer sa chaise*, à moins qu'il n'y soit convié par son hôte. Le faire équivaudrait pour nous à déplacer un paravent ou même une cloison dans une maison étrangère. Considérée sous cet angle, la nature semi-fixe des meubles dans les maisons américaines est seulement une question de degré et de situation. Les chaises légères sont plus mobiles que les sofas ou les tables lourdes. Pourtant, j'ai remarqué que certains Américains hésitent à réarranger les meubles dans une pièce ou un bureau qui ne leur

appartient pas. Dans une de mes classes, vingt étudiants
sur quarante ont manifesté cette hésitation.

Beaucoup de femmes américaines savent qu'il est difficile
de trouver les objets dont on a besoin dans la cuisine de
quelqu'un d'autre. Inversement, il peut être exaspérant de
voir un matériel de cuisine rangé par des aides bien inten-
tionnés qui ignorent la « place » des choses. La manière
dont nous rangeons les objets qui sont nôtres, les lieux où
nous les entreposons, dépendent de modèles microculturels
qui ne sont pas seulement représentatifs de larges groupes
culturels, mais de ces microvariations que chaque individu
introduit dans la culture, et qui le rendent unique. De même
que les variations dans l'intonation et la modulation permettent de distinguer une voix d'une autre, de même, notre
maniement des objets présente lui aussi, à chaque fois, une
structure caractéristique qui est unique.

ESPACE INFORMEL

Nous allons maintenant envisager l'expérience de l'espace
qui appartient à la catégorie sans doute la plus importante
pour l'individu puisqu'elle comprend les distances que nous
observons dans nos contacts avec autrui. La plupart du
temps, ces distances échappent au champ de la conscience.
J'ai appelé cet espace « informel » parce qu'il échappe à
la formulation, et non parce qu'il est dépourvu de forme
ou d'importance. Nous verrons, au contraire, au cours
du chapitre suivant, que les modèles de l'espace informel
ont une configuration précise et une signification, tacite
certes, mais si profonde qu'ils jouent un rôle fondamental
dans la définition des cultures. Méconnaître leur signification peut conduire au désastre.

10
Les distances chez l'homme

Les oiseaux et les mammifères, non seulement possèdent des territoires qu'ils occupent et défendent contre les individus de leur propre espèce, mais observent également entre eux une série de distances constantes. Hediger les a classées en distance de fuite, distance critique et distances personnelle et sociale. L'homme lui aussi observe des distances uniformes dans les rapports qu'il entretient avec ses semblables. A de rares exceptions près, la distance de fuite et la distance critique ont été éliminées des réactions humaines. Mais il est évident que les distances personnelle et sociale existent toujours.

Combien de distances de ce type les humains possèdent-ils, et comment les distinguerons-nous ? En quoi une distance diffère-t-elle d'une autre ? La réponse à ces questions ne me parut pas évidente lorsque je commençai mes recherches sur le problème des distances chez l'homme. Peu à peu, toutefois, les données que je recueillis me convainquirent que la constance des distances chez l'homme est le résultat de modifications sensorielles dont les types sont décrits aux chapitres VII et VIII.

L'intensité de la voix est une source ordinaire d'infor-

mation sur la distance qui sépare deux individus. Au cours
de mes travaux avec le linguiste George Trager, je commençai par observer une relation entre modifications de la
voix et changements de distances. Le chuchotement étant
utilisé quand les interlocuteurs sont très proches l'un de
l'autre, et le cri étant destiné à franchir de grandes distances, la question que G. Trager et moi-même nous posions
était de déterminer le nombre de positions vocales qui
existent entre ces deux extrêmes. Nous procédâmes de la
manière suivante : Trager restait immobile pendant que je
lui parlais à des distances différentes. Quand nous tombions
d'accord pour affirmer qu'un changement vocal s'était produit, nous mesurions la nouvelle distance entre nous et
établissions une description de la situation. C'est ainsi que
nous obtînmes les huit distances décrites dans *The Silent
Language*, à la fin du chapitre x.

Des observations ultérieures faites sur des individus placés dans un contexte social me persuadèrent que ces huit
distances étaient exagérément compliquées. Quatre suffi-
saient que j'ai appelées, intime, personnelle, sociale, et
publique (chacune comportant deux modes, proche et lointain). Le choix de ma terminologie était délibéré. Il n'était
pas seulement inspiré par les travaux sur les animaux de
Hediger qui a fait apparaître la continuité de l'infraculture
et de la culture. Il était aussi destiné à évoquer le type
d'activité et de rapports propres à chaque distance, et par
là même à les associer à des catégories spécifiques de relations et d'activités. Notons ici que *les sentiments réciproques
des interlocuteurs* à l'égard l'un de l'autre, au moment
analysé, constituent un facteur décisif dans la détermination
de leur distance. Ainsi, des individus très en colère ou très
désireux de convaincre leur interlocuteur se rapprocheront
de celui-ci et tourneront en quelque sorte « le bouton de
l'intensité » en criant. De même toute femme saura immédiatement reconnaître qu'un homme commence à s'éprendre
d'elle, à la façon dont il se rapproche d'elle. Et si elle
n'éprouve pas les mêmes sentiments, elle le lui témoignera
par son retrait.

Nous avons vu au chapitre VII que, chez l'homme, le sens de l'espace et de la distance n'est pas statique et qu'il a très peu de rapports avec la perspective linéaire élaborée par les artistes de la Renaissance et encore enseignée de nos jours dans la majorité des écoles d'art et d'architecture. Bien plutôt l'homme ressent la distance de la même manière que les autres animaux. Sa perception de l'espace est dynamique parce qu'elle est liée à l'action — à ce qui peut être accompli dans un espace donné — plutôt qu'à ce qui peut être vu dans une contemplation passive.

L'incapacité générale à saisir l'importance des nombreux éléments qui contribuent à créer le sentiment humain de l'espace tient à deux conceptions erronées : selon la première, il existerait pour chaque effet une cause identifiable et unique ; selon la seconde, l'homme est une fois pour toutes contenu dans les limites de sa peau. Dès que nous nous libérons de notre aspiration à l'explication unique, et dès que nous parvenons à imaginer l'homme prolongé par une série de champs à extension constamment variable et qui lui fournissent des informations de toutes sortes, nous commençons à l'apercevoir sous un jour entièrement nouveau. C'est alors que nous pouvons commencer à nous instruire sur le comportement humain et en particulier sur les types de personnalités. Car non seulement il existe des intravertis et des extravertis, des types autoritaristes et égalitaristes, apolliniens et dionysiaques ainsi que toute l'infinité des types caractériels, mais chacun de nous possède aussi un certain nombre de *personnalités situationnelles* apprises, dont la forme la plus simple est liée à nos comportements au cours des différents types de relations intime, personnel, social et public. Certains individus ne développent jamais la face publique de leur personnalité et ne peuvent, par conséquent, jamais remplir un espace public. Ce sont des orateurs médiocres, également incapables de

diriger des discussions de groupe. De nombreux psychiatres
savent que d'autres individus ont des problèmes avec les
régions intimes de leur personnalité et ne peuvent supporter
la promiscuité.

Ce genre de concept n'est pas toujours facile à comprendre parce que la plupart des mécanismes liés à la saisie des
distances se produisent inconsciemment. Nous sentons les
autres proches ou distants, sans pouvoir toujours dire sur
quelle base nous fondons ce savoir. Tant d'événements se
produisent en même temps qu'il est malaisé de sélectionner
les sources d'informations qui déterminent nos réactions.
Est-ce le ton de la voix, l'attitude ou la distance de l'interlocuteur ? Un tel choix nécessite une observation minutieuse,
de longue durée, portant sur une grande variété de situations au cours desquelles les moindres changements sont
enregistrés. C'est ainsi que la perception de la chaleur corporelle d'autrui permettra de marquer la frontière entre
espaces intime et non intime. Une odeur de cheveux fraîchement lavés et la vision d'un visage brouillée par la proximité
s'associeront avec une sensation de chaleur pour créer le
sentiment de l'intimité. En expérimentant sur soi-même,
pour contrôler et enregistrer les différents modèles d'information sensorielle, il est possible de déterminer les points
de structuration du système d'appréciation des distances.
En fait, il s'agit d'identifier un à un les éléments qui constituent ces ensembles particuliers que sont les zones, intime,
personnelle, sociale et publique.

Les descriptions que nous donnons ci-après de nos quatre
types de distance ont été établies à partir d'observations et
d'entretiens poursuivis avec un ensemble d'individus adultes
bien portants de type sans-contact, appartenant à la classe
moyenne, originaires pour la plupart de la côte Nord-Est
du continent américain. Un fort pourcentage de nos sujets
était constitué par des femmes et des hommes appartenant
au milieu des affaires ou ayant une profession libérale.
Beaucoup d'entre eux pouvaient être considérés comme des
intellectuels. Les entretiens étaient « neutres » : les sujets
ne présentaient aucun signe apparent d'excitation, de dépres-

sion ou de colère. L'environnement n'offrait aucun élément anormal, tels que température ou bruit excessifs. Il s'agissait là d'une première étude approximative. Nos descriptions paraîtront certainement grossières lorsque l'observation proxémique aura progressé et qu'on connaîtra les mécanismes sous-jacents à la perception différentielle des distances. De plus, ces généralisations ne concernent pas le comportement humain en général — non plus que celui des Américains en général ; elles valent seulement pour le groupe observé. Les Noirs et les Sud-Américains, de même que les individus appartenant aux cultures de l'Europe méridionale, possèdent des structures proxémiques différentes.

Chacune des quatre distances décrites ci-dessous comporte deux modalités proche et lointaine, dont la description sera chaque fois précédée d'une courte introduction. On notera que les distances mesurées peuvent varier légèrement avec la personnalité des sujets et les caractères de l'environnement. Par exemple, un bruit intense ou un faible éclairage auront généralement pour effet de rapprocher les individus les uns des autres.

DISTANCE INTIME

A cette distance particulière, la présence de l'autre s'impose et peut même devenir envahissante par son impact sur le système perceptif. La vision (souvent déformée), l'odeur et la chaleur du corps de l'autre, le rythme de sa respiration, l'odeur et le souffle de son haleine, constituent ensemble les signes irréfutables d'une relation d'engagement avec un autre corps.

Distance intime. Mode proche.

Cette distance est celle de l'acte sexuel et de la lutte, celle à laquelle on réconforte et on protège. Le contact physique ou son imminence vraisemblable domine la conscience des partenaires. L'emploi des récepteurs de distance est extrêmement réduit, à l'exception de l'olfaction et de la perception de chaleur irradiée qui s'intensifient. Au cours de la phase de contact maximal, les muscles et la peau entrent en communication. La région pelvienne, les cuisses et la tête peuvent participer à ce contact ; les bras peuvent encercler le partenaire. La vision précise est brouillée sauf en son champ le plus lointain. Lorsque la vision proche est possible à cette distance intime — comme il arrive aux enfants — l'image est fortement agrandie et excite la presque totalité de la rétine. Les détails sont alors perçus avec une précision extraordinaire. Le jeu des muscles optiques, qui font loucher, renforce encore l'acuité et la spécificité de cette expérience visuelle que n'offre aucune autre distance. A cette distance intime, la voix joue un rôle mineur dans le processus de communication qui s'accomplit par d'autres moyens. Le murmure a pour effet d'augmenter la distance. Les manifestations vocales éventuelles sont pour la plupart involontaires.

Distance intime. Mode éloigné
distance : de 15 à 40 centimètres.

Ici, têtes, cuisses, bassins ne sont pas facilement mis en contact, mais les mains peuvent se joindre. La tête est perçue comme plus grande que nature et les traits sont déformés. La possibilité de focaliser facilement constitue pour les Américains un caractère important de cette distance. En effet, à 15 ou 20 centimètres, l'iris de l'autre est sensiblement agrandi. On y distingue les capillaires de la sclérotique et les pores sont élargis. La vision distincte (15 degrés) inclut la partie supérieure ou la partie inférieure du visage qui est agrandi. Le nez est allongé et peut paraître déformé, de même que les lèvres, les dents et la langue. La vision périphérique (de 30 à 180 degrés) englobe les contours de la tête et des épaules et très souvent les mains.

Une partie de la gêne physique éprouvée par les Américains lorsque des étrangers se trouvent inopportunément dans leur sphère intime est ressentie comme une distorsion du système visuel. Un de nos sujets disait : « Ces gens vous approchent de si près qu'ils vous font loucher. Cela me rend très nerveux. Ils mettent leur visage si près du vôtre que vous croyez les sentir *en vous.* » C'est lorsque la focalisation précise devient impossible que l'on éprouve la sensation musculaire de loucher pour avoir regardé un objet trop proche. Des expressions telles que : « *Get your face out of mine* » (Otez votre figure de la mienne), ou : « *He shook his fist in my face* » (Il agita son poing *dans* ma figure) révèlent la façon dont les Américains perçoivent les limites de leur corps.

A la distance de 15 à 45 centimètres, la voix est utilisée, mais maintenue dans un registre plus étouffé qui peut même être celui du murmure. Comme l'écrit le linguiste Martin Joos : « Ce mode intime de locution évite de donner au destinataire des informations qui ne proviennent pas du corps même du locuteur. Il s'agit simplement de (...) rappeler au receveur l'existence de quelque sentiment (...) situé à l'intérieur de l'émetteur. » La chaleur et l'odeur de l'haleine de l'autre sont parfaitement détectables même s'il essaie de les diriger hors du champ perceptif du sujet. L'échauffement ou le refroidissement du corps de l'autre commence même à être perçu par certains sujets.

La pratique de la distance intime en public n'est pas admise par les adultes américains de la classe moyenne, bien que leurs enfants puissent être observés entretenant des contacts intimes dans les automobiles et sur les plages. L'affluence dans les transports en commun peut placer de parfaits étrangers dans des rapports de proximité qui seraient normalement considérés comme intimes, mais les usagers disposent d'armes défensives qui permettent de retirer toute vraie intimité à l'espace intime dans les transports publics. La tactique de base consiste à rester aussi immobile que possible et, si c'est faisable, à s'écarter au premier contact étranger. En cas d'impossibilité, les muscles des zones en cause doivent demeurer contractés. En fait, pour les membres de groupes sans-contact, détente ou plaisir sont interdits dans le contact corporel avec des étrangers.

C'est pourquoi, dans les ascenseurs bondés, les mains doivent rester le long du corps ou servir seulement à s'assurer une prise sur la barre d'appui. Les yeux doivent fixer l'infini et ne peuvent se poser plus d'un instant sur quiconque.

Répétons que ces modèles proxémiques américains concernant la distance n'ont aucune valeur universelle. Ainsi, même les règles qui déterminent des rapports aussi intimes que le contact corporel avec autrui ne présentent pas de constance. Par exemple, les Américains ayant eu l'occasion d'un contact approfondi avec les Russes, notent que beaucoup de traits typiques de la distance intime pour les Américains, caractérisent chez les Russes la distance sociale. Comme nous aurons l'occasion de le voir au chapitre suivant, les populations du Moyen-Orient ne témoignent pas des réactions offusquées que l'on constate chez les Américains lorsque, d'aventure, il leur arrive de subir en public le contact d'étrangers.

DISTANCE PERSONNELLE

Le terme de « distance personnelle » que l'on doit à Hediger désigne la distance fixe qui sépare les membres des espèces sans-contact. On peut l'imaginer sous la forme d'une petite sphère protectrice, ou bulle, qu'un organisme créerait autour de lui pour s'isoler des autres.

Distance personnelle. Mode proche
distance : de 45 à 75 centimètres.

Le sens kinesthésique de la proximité est en partie fonction des possibilités que la distance offre aux intéressés de se saisir ou s'empoigner par leurs extrémités supérieures. A cette distance, on ne constate plus de déformation visuelle des traits de l'autre. Néanmoins, on enregistre une réaction sensible de la part des muscles qui contrôlent l'activité des yeux. Le lecteur en fera lui-même l'expérience s'il regarde un objet à une distance de 45 à 90 centimètres, en tentant de concentrer son attention sur ses muscles oculaires. Il sentira alors la tension exercée par ces muscles pour maintenir les deux yeux fixés sur un point unique, de façon à faire coïncider les deux images. En pressant légèrement du doigt la surface de la paupière inférieure pour déplacer le globe oculaire, on peut se rendre compte du travail qu'accomplissent ces muscles pour conserver une image unique et cohérente. Sous un angle visuel de 15 degrés, on perçoit avec une netteté exceptionnelle la partie supérieure ou inférieure d'un visage ; les plans et le volume de la face sont accentués ; le nez prend du relief et les oreilles s'aplatissent ; le duvet du visage, les cils et les pores sont très visibles. Le relief des objets est particulièrement prononcé : volume, matière et forme présentent une qualité sans égale à aucune autre distance. De même, les textures sont très apparentes et nettement différenciées. Les positions respectives des individus révèlent la nature de leurs relations ou de leurs sentiments. Une épouse peut impunément se tenir dans la zone de proximité de son mari, mais il n'en sera pas de même pour une autre femme.

Distance personnelle. Mode lointain
distance : de 75 à 125 centimètres.

L'expression anglaise : tenir quelqu'un « à longueur de bras [1] » peut offrir une définition du mode lointain de la distance personnelle. Cette distance sera comprise entre le point qui est juste au-delà de la distance de contact facile et le point où les doigts se touchent à condition que les deux individus étendent simultanément les bras. Il s'agit, en somme, de la limite de l'emprise physique sur autrui. Au-delà il est difficile de « poser la main » sur quelqu'un. A cette distance, on peut discuter de sujets personnels. La dimension de la tête est perçue et les traits apparaissent

---

1. L'expression anglaise *at arms' length* n'est pas traduisible littéralement. On la rend habituellement en français par « tenir à distance » *(N.d.T.).*

clairement. Texture de la peau, cheveux blancs, croûtes des yeux, imperfections des dents, boutons et petites rides, taches des vêtements sont également bien visibles. La surface couverte par la vision fovéale ne dépasse pas celle du bout du nez ou d'un œil, si bien que le regard doit se déplacer tout autour du visage (l'*orientation du regard* est rigoureusement fonction d'un conditionnement culturel). La vision claire sous 15 degrés couvre la partie supérieure *ou* la partie inférieure du visage, alors que la vision périphérique de 180 degrés intègre les mains et la totalité du corps d'une personne assise. On distingue le mouvement des mains, mais on ne peut compter les doigts. La hauteur de la voix est modérée. La chaleur corporelle n'est pas perceptible. Bien que l'olfaction n'entre pas normalement en jeu pour les Américains, elle intervient néanmoins pour un grand nombre d'autres peuples qui se servent d'eaux de senteur pour créer une « bulle » olfactive. L'odeur de l'haleine peut être parfois perceptible à cette distance, mais les Américains sont généralement habitués à diriger leur haleine hors du champ respiratoire des autres.

DISTANCE SOCIALE

La frontière entre le mode lointain de la distance personnelle et le mode proche de la distance sociale marque, selon les mots d'un de nos sujets, « la limite du pouvoir sur autrui ». Les détails visuels intimes du visage ne sont plus perçus, et personne ne touche ou n'est supposé toucher autrui, sauf à accomplir un effort particulier. Pour les Américains, la hauteur de la voix est normale. La différence entre les modes proche et lointain est minime et les conversations peuvent s'entendre jusqu'à six mètres. A cette distance, j'ai remarqué qu'en moyenne la voix de l'Américain porte moins que celle de l'Arabe, de l'Espagnol, de l'Indien du Sud de l'Asie et du Russe, mais est un peu plus forte que celle de l'Anglais cultivé, de l'Asiatique du Sud-Est et du Japonais.

Distance sociale. *Mode proche*

distance : de 1,20 mètre à 2,10 mètres.

La dimension de la tête est perçue normalement ; à mesure qu'on s'éloigne du sujet, la région fovéale de l'œil intègre une part croissante de la personne. A une distance de 1,20 mètre, un angle visuel de 1 degré comprend une surface qui ne dépasse guère celle d'un œil. Mais à 2,10 mètres, la zone de vision aiguë s'étend au nez et à une partie des yeux ; ou bien ce sont la bouche tout entière, un œil et le nez qui sont perçus. Beaucoup d'Américains regardent alternativement chaque œil ou les yeux, puis la bouche. Le détail de la peau et des cheveux est clairement perçu. Sous un angle visuel de 60 degrés, la tête, les épaules et le haut du corps sont visibles à une distance de 1,20 mètre, et l'ensemble du corps à 2,10 mètres. Cette distance est celle des négociations impersonnelles et le mode proche implique bien entendu plus de participation que le mode lointain. Les personnes qui travaillent ensemble pratiquent généralement la distance sociale proche. Celle-ci vaut aussi de façon courante dans les réunions informelles. A cette distance, regarder de tout son haut une personne assise évoque l'impression de domination de l'homme qui s'adresse à sa secrétaire ou à sa standardiste.

Distance sociale. *Mode lointain*

distance : de 2,10 mètres à 3,60 mètres.

Cette distance est celle où l'on se place lorsqu'on vous dit : « Eloignez-vous que je puisse vous regarder. » Lorsque les rapports professionnels ou sociaux se déroulent selon le mode lointain, ils prennent un caractère plus formel que dans la phase de proximité. Dans les bureaux des personnalités importantes, la dimension de la table de travail place les visiteurs selon le mode lointain de la distance sociale. Même dans les bureaux à tables standard, les chaises des visiteurs se trouvent placées à une distance de 2,50 mètres à 3 mètres de la personne qui est derrière la table. Le mode lointain de la distance sociale ne permet plus de distinguer les détails les plus subtils du visage, tels les capillaires des yeux. Mais on continue de percevoir nettement la texture de la peau, la qualité des cheveux, l'état des dents et la condition des vêtements. A cette distance, aucun de mes sujets n'a pu détecter la chaleur ou l'odeur corporelle. Sous un angle de 60 degrés, on perçoit la silhouette entière entourée d'un certain espace. De plus, aux environs de 3,60 mètres, on constate que les muscles oculaires, habitués à maintenir les yeux fixés sur un point unique, cessent rapidement de réagir. Ce sont les yeux et la bouche de l'autre qui sont vus avec le plus d'acuité. Il n'est donc pas nécessaire de déplacer les yeux pour saisir l'ensemble du visage. En cas d'entretiens prolongés, il est plus important de maintenir le contact visuel à cette distance qu'à une plus grande proximité.

Ce type de comportement proxémique est conditionné par la culture et est entièrement arbitraire. Il est contraignant pour tous les intéressés. Ne pas fixer son interlocuteur revenant à le nier et à interrompre la conversation, on s'aperçoit que les gens qui conversent à cette distance allongent le cou et se penchent d'un côté à l'autre pour éviter les obstacles. De même, dans le cas de deux personnes dont l'une est assise et l'autre debout, le contact visuel prolongé à moins de 3,10 mètres ou 3,60 mètres se révèle fatigant pour les muscles du cou : c'est pourquoi les subordonnés évitent généralement cet inconfort à leurs patrons. Toutefois, si les rôles sont inversés, et si le subordonné se trouve assis, il arrive souvent que son patron se rapproche. Dans ce mode éloigné, la voix est sensiblement plus haute que dans le mode proche, et, en général, on l'entend facilement d'une pièce voisine si la porte est ouverte. Elever la voix ou crier peut aboutir à réduire la distance sociale en distance personnelle.

Sur le plan proxémique, le mode lointain de la distance sociale peut servir à isoler ou séparer des individus. Ainsi il permet de travailler sans impolitesse en présence d'autrui. Un exemple particulièrement précis est offert par les réceptionnistes qui sont censées remplir une double fonction d'hôtesse et de dactylo. Placée à moins de trois mètres des autres (même s'il s'agit d'étrangers), la réceptionniste se sentira trop concernée pour ne pas être virtuellement obligée de faire la conversation. En revanche, si elle a plus d'espace, elle peut travailler tout à fait librement sans devoir parler. De même, les maris qui rentrent du travail ont souvent l'habitude de s'asseoir pour lire leur journal, et se détendre, à trois mètres ou plus de leurs épouses, car cette distance ne leur impose aucune contrainte. Certaines femmes iront même jusqu'à disposer les sièges dos à dos : solution sociofuge que Chick Young, le créateur de « Blondie », affectionne dans ses dessins. La disposition dos à dos est une bonne solution pour remédier au manque d'espace, car deux personnes peuvent ainsi s'isoler l'une de l'autre, si elles le désirent.

DISTANCE PUBLIQUE

Plusieurs changements sensoriels importants se produisent lorsque l'on passe des distances personnelle et sociale à la distance publique, située hors du cercle où l'individu est directement concerné.

Distance publique. Mode proche
distance : de 3,60 mètres à 7,50 mètres.

A 3,60 mètres, un sujet valide peut adopter une conduite de fuite ou de défense s'il se sent menacé. Il est même possible que cette distance déclenche une forme de réaction de fuite vestigiale, mais subliminaire. La voix est haute mais n'atteint pas son volume maximal. Les linguistes ont remarqué que cette distance implique une élaboration particulière du vocabulaire et du style, qu'elle provoque des transformations d'ordre grammatical et syntaxique. Le terme de « style formel » adopté par Martin Joos semble adéquat : « Les textes formels... exigent une préparation...

on peut vraiment dire que l'orateur pense debout. » L'angle du maximum d'acuité visuelle (un degré) couvre l'ensemble du visage. A partir de 4,80 mètres, le corps commence à perdre son volume et à paraître plat. La couleur des yeux commence à devenir indéterminable ; seul le blanc de la cornée est visible. La tête semble beaucoup plus petite que nature. Sous un angle de 15 degrés, la zone de vision distincte (en forme de losange) englobe les visages des deux personnes situées à 3,60 mètres, tandis que sous un angle de 60 degrés elle inclut la totalité du corps et un peu d'espace autour. Les autres personnes sont perçues par la vision périphérique.

Distance publique. Mode éloigné
distance : 7,50 mètres ou davantage.

La distance de 9 mètres est celle qu'imposent automatiquement les personnages officiels importants. Dans son livre *The Making of The President* (1960), Theodore H. White en donne un excellent exemple lorsqu'il décrit, au moment où la nomination de John F. Kennedy est devenue certaine, la rencontre de ce dernier avec le groupe de personnalités venues le féliciter dans sa retraite.

« Kennedy entra au pas de course dans la villa, de sa démarche légère et dansante, aussi jeune, aussi souple que le printemps, et salua ceux qui se trouvaient sur son passage. Puis il parut glisser loin d'eux tandis qu'il descendait les marches de la villa à plusieurs niveaux en direction d'un angle où son frère Bobby et son beau-frère Sargent Shriver bavardaient en l'attendant. Les autres personnes qui se trouvaient dans la pièce firent un mouvement en avant pour le rejoindre. Puis elles firent halte. Trente pieds peut-être les séparaient de lui, mais c'était une distance infranchissable. Ces hommes plus âgés dont le pouvoir était depuis longtemps assis se tenaient à part et l'observaient. Il se retourna au bout de quelques minutes, les vit qui l'observaient, et murmura quelques mots à son beau-frère. Alors Shriver traversa l'espace qui les séparait pour les inviter à venir. D'abord Averell Harriman ; puis Dick Daley ; puis Mike Di Salle ; puis, à tour de rôle, selon un ordre déterminé par l'instinct et le jugement du candidat lui-même, il les laissa tous le féliciter. Mais nul ne pouvait franchir sans y avoir été invité la courte distance qui s'étendait entre lui et eux, car il y avait cette légère séparation autour de lui, et ils savaient qu'ils se trouvaient là non comme ses protecteurs mais comme ses protégés. Ils ne pouvaient approcher que sur invitation, car il pourrait bien être par la suite un président des Etats-Unis[1]. »

La distance publique courante n'est pas réservée aux personnalités politiques, mais elle peut être utilisée en public par n'importe qui. Les acteurs, par exemple, savent fort bien qu'à partir d'une distance de 9 mètres la subtilité des nuances de signification données par la voix normale échappe au même titre que les détails de l'expression des gestes. Il ne leur faut donc pas alors seulement élever la voix, mais exagérer et accentuer l'ensemble de leur comportement. L'essentiel de la communication non verbale est alors assurée par des gestes et des postures. En outre, le rythme de l'élocution est ralenti, les mots sont mieux articulés et on observe également des changements stylistiques. C'est le style « glacé » défini par Martin Joos : « Style propre des individus destinés à demeurer des étrangers. » A cette distance, l'individu humain peut sembler très petit et, de toute façon, il est partie intégrante d'un cadre ou d'un fond spécifique. Grâce à la vision fovéale, on peut le faire entrer progressivement tout entier dans le champ restreint de la vision la plus distincte (acuité maximale). Mais à ce stade, les humains ont la taille d'une fourmi, l'idée d'un contact possible avec eux devient impossible. Le cône de vision de 60 degrés intègre le cadre des personnages, tandis que la vision périphérique a pour principale fonction d'adapter l'image de l'individu aux mouvements latéraux.

---

1. Traduction de Léo Dilé, *La Victoire de Kennedy*, Robert Laffont, 1962.

Pour terminer cette description des zones de distances communes à notre échantillonnage de sujets américains, il convient d'ajouter un dernier mot concernant la classification. Pourquoi quatre zones et non six ou huit ? Pourquoi même des zones ? Comment savons-nous que cette classification est valable ? En fonction de quels critères l'avons-nous établie ?

Comme je l'ai indiqué plus haut (chapitre VIII), l'homme de science exige un système de classement qui puisse à la fois fournir la meilleure explication des phénomènes observés, et « tenir » assez longtemps pour être utile.

Chaque système de classification implique une théorie ou hypothèse latente concernant la nature et les structures fondamentales des phénomènes observés. L'hypothèse qui sous-tend le système de classification proxémique est la suivante : la conduite que nous nommons territorialité appartient à la nature des animaux et en particulier de l'homme. Dans ce comportement, homme et animal se servent de leurs sens pour différencier les distances et les espaces. La distance choisie dépend des rapports inter-individuels, des sentiments et activités des individus concernés. Notre système de classification quadripartite résulte d'observations pratiquées à la fois sur l'homme et l'animal. Les oiseaux et les singes possèdent tout comme l'homme des distances intime, personnelle et sociale.

L'homme occidental a organisé ses activités et relations sociales selon un ensemble de distances déterminé auquel il a ensuite ajouté les notions de personnage public et de rapports publics. Les relations et les comportements « publics » des Américains et des Européens sont différents de ceux pratiqués ailleurs dans le monde. Ainsi, pour eux, il est implicitement obligatoire de traiter les étrangers selon certains modes déterminés. D'où l'existence des quatre catégories principales de rapports inter-individuels (intime, personnel, social et public) et des activités et espaces qui leur

sont liés. Dans le reste du monde, les rapports inter-individuels seront régis par d'autres structures : par exemple
la structure dualiste, familiale ou non familiale que l'on
observe en Espagne, au Portugal, ou dans leurs anciennes
colonies, ou encore le système des castes (et hors castes)
pratiqué en Inde. Les Arabes et les Juifs font, eux aussi, une
grande différence entre ceux qui leur sont apparentés et
les autres. Mes études sur les Arabes m'ont conduit à penser
qu'ils organisent leur espace « informel » selon un système
très différent de celui que j'ai observé aux Etats-Unis. La
relation du paysan arabe ou du fellah avec son sheik ou
son Dieu n'est nullement publique mais, au contraire, intime
et personnelle et elle ne comporte aucun intermédiaire.

Tout récemment encore, on concevait les exigences spatiales de l'homme en termes de volume d'air effectivement
déplacé par son corps. On ignorait en général le fait que
sa personne est prolongée par les zones décrites plus haut.
La diversité de ces zones (en fait leur existence même)
n'est apparue que lorsque les Américains ont commencé
d'avoir des contacts suivis avec des peuples dont l'organisation sensorielle est différente : si bien qu'un élément défini
comme intime dans une culture peut devenir personnel ou
même public dans une autre. C'est ainsi que, pour la première fois, l'Américain prit conscience de ses propres enve-
loppes spatiales, qui lui avaient toujours semblé aller de soi.

La faculté d'identifier ces différentes zones affectives ainsi
que les activités, les relations et les émotions qui leur
sont respectivement associées, est devenue aujourd'hui d'une
importance considérable. Les populations du monde entier
affluent dans les villes tandis que constructeurs et spécu-
lateurs entassent les habitants dans de gigantesques boîtes
verticales qui sont à la fois des bureaux et des habitations.
Si l'on considère l'individu humain à la manière des anciens
marchands d'esclaves, et si l'on mesure leur besoin d'espace
en termes de limites corporelles — on néglige les conséquences que peut entraîner la surpopulation. Mais si l'on
envisage l'homme comme entouré d'une série de « bulles »
invisibles dont les dimensions sont mesurables, l'architec-

ture apparaît alors sous un angle radicalement différent. On peut alors concevoir que des individus soient brimés par les espaces où ils sont contraints de vivre et de travailler. On comprend qu'ils puissent être contraints à des comportements ou à des manifestations émotives qui sont le signe évident d'un *stress* trop violent. Comme dans les lois de la gravitation, l'influence qu'exercent deux corps l'un sur l'autre est inversement proportionnelle non seulement au carré, mais peut-être même au cube de la distance qui les sépare. A mesure que le *stress* devient plus sévère, la sensibilisation à l'entassement s'élève également — comme l'irritabilité — si bien que l'exigence d'espace ne cesse de croître en fonction inverse de sa disponibilité.

Les deux chapitres suivants traiteront des systèmes proxémiques chez des peuples de cultures différentes. Ils doivent remplir un double objectif : il s'agit tout d'abord de mieux mettre en lumière la structure de nos comportements inconscients et de contribuer peut-être ainsi à améliorer la conception de nos unités de travail et d'habitation, de nos villes même ; en second lieu, il s'agit de faire apparaître le besoin impérieux que nous avons d'améliorer notre compréhension des autres cultures. Les structures proxémiques trahissent la présence de différences fondamentales entre les peuples — différences qu'on ne peut ignorer qu'au prix du plus grand risque. Des urbanistes et constructeurs américains élaborent aujourd'hui des plans de villes pour d'autres pays sans guère connaître les exigences locales en matière d'espace et sans se douter que ces exigences varient d'une culture à l'autre. Ils courent le risque grave d'imposer à des populations entières des moules qui ne leur sont pas adaptés. A l'intérieur même des Etats-Unis, la « rénovation urbaine » et l'ensemble des crimes contre l'humanité que l'on commet en son nom témoignent d'une totale incapacité à créer des environnements plaisants pour les populations si différentes qui se déversent dans nos villes.

11

Proxémie comparée
des cultures allemande,
anglaise, française

Allemands, Anglais, Américains et Français possèdent bien des traits culturels communs mais, néanmoins, leurs cultures réciproques divergent en de nombreux points. Les malentendus entraînés par ces divergences sont d'autant plus sérieux qu'Américains et Européens « sophistiqués » se piquent d'interpréter correctement leurs comportements réciproques. Les différences culturelles liées à des comportements non conscients sont, de ce fait, généralement imputées à la maladresse, au manque d'éducation ou à l'indifférence.

LES ALLEMANDS

Dès que des personnes de pays différents se trouvent en contact répété, elles commencent à philosopher sur leurs attitudes respectives. Les Allemands et les Suisses-Allemands ne font pas exception à la règle. Intellectuels et membres des professions libérales, la plupart des ressortissants de ces deux pays avec qui j'ai eu l'occasion de m'entretenir, finissaient toujours par me donner leur point de vue sur le rapport des Américains avec l'espace et le temps. Ils soulignaient régulièrement la rigueur avec laquelle les Américains structurent le temps et leur manie des programmes. Ils remarquaient aussi que les Américains ne gardent pas de de temps libre pour leur propre usage (fait également noté par Sebastian de Grazia dans *Of Time, Work and Leisure*).

Ni les Allemands, ni les Suisses (surtout les Suisses-Allemands) ne pouvant être considérés comme indifférents au temps, j'ai tenté d'en apprendre davantage sur leur conception du rapport des Américains avec le temps. Ils disent que pour un même laps de temps les Européens ont des horaires moins chargés que les Américains, et ajoutent généralement que les Européens se sentent moins « pressés » par le temps que les Américains. Il est certain que les Européens consacrent plus de temps à pratiquer toutes les activités qui impliquent des relations humaines importantes. Beaucoup de mes sujets européens ont observé qu'en Europe ce sont les rapports humains qui comptent, alors qu'aux Etats-Unis ce sont les horaires. Un certain nombre d'entre eux ont développé la logique de ces remarques et lié le maniement du temps à celui de l'espace que les Américains traitent avec une incroyable indifférence. Au regard des normes européennes, les Américains gaspillent l'espace et l'organisent rarement en fonction des besoins publics. En fait, il semblerait que, pour les Américains, il n'y ait pas vraiment de besoins associés à l'espace. En survalorisant horaires et programmes, les Américains tendent à sous-évaluer les besoins individuels en espace. Je dois ajouter que tous les Européens n'ont pas des vues aussi pénétrantes. Beaucoup se contentent de dire qu'aux Etats-Unis ils se sentent pressés par le temps et que nos villes manquent de diversité. Quoi qu'il en soit, ces observations émanant d'Européens laisseraient prévoir que les Allemands sont plus sensibles que les Américains à la violation de leurs habitudes spatiales.

Les Allemands et le problème de l'intrusion.

Jamais je n'oublierai ma première expérience des structures proxémiques allemandes à une époque où j'étais encore étudiant. Mon éducation, ma position sociale et mon *ego* lui-même furent agressés et gravement lésés par un Allemand dans des circonstances où il apparut que trente ans de résidence aux Etats-Unis et une parfaite maîtrise de la langue anglaise n'avaient pu altérer les critères allemands de l' « intrusion ». Pour comprendre pleinement ma mésaventure, il est nécessaire de rappeler deux comportements américains de base qui vont de soi aux Etats-Unis et que, de ce fait, les Américains tendent à croire universels.

En premier lieu, on considère, aux Etats-Unis, que deux ou trois personnes qui conversent entre elles sont séparées des autres par une démarcation invisible. Seule la distance isole un groupe de cette nature et l'entoure d'un mur virtuel qui garantit son caractère privé. Normalement les voix doivent demeurer assourdies au sein du groupe afin de ne pas gêner les autres, mais si d'aventure elles s'élèvent, les autres personne agiront comme si elles n'avaient rien entendu. De cette manière, le caractère privé de l'entretien est considéré comme établi qu'il soit ou non réalisé en fait. Le second type de comportement est plus subtil : il concerne la définition du point précis au-delà duquel on estime qu'une personne a franchi un seuil et pénétré dans une pièce. Ainsi, pour la plupart des Américains, parler de l'extérieur d'une maison à travers une porte-moustiquaire[1] ne signifie en aucune façon qu'on ait pénétré à l'intérieur de la maison et d'une de ses pièces. Si le visiteur demeure sur le seuil, tenant la porte ouverte pour parler à une personne qui se trouve à l'intérieur, il est toujours considéré comme hors de la maison. « Passer la tête par la porte d'un bureau » revient de même à demeurer hors du bureau. Et même si le corps entier du

---

1. *Screen-door*, porte finement grillagée, fixée à l'intérieur, derrière la porte de bois plein, et très généralement utilisée aux Etats-Unis (*N.d.T.*).

visiteur se trouve à l'intérieur d'une pièce, du moment qu'il s'appuie au chambranle de la porte, on considère qu'il conserve un point d'ancrage à l'extérieur et qu'il n'a pas complètement pénétré à l'intérieur du territoire de l'autre. Aucun de ces critères spatiaux ne vaut en Allemagne du Nord. Dans chaque cas où l'Américain estime qu'il reste *à l'extérieur*, il a déjà pénétré sur le territoire de l'Allemand et, par définition, est entré dans son intimité. L'opposition de ces deux types de structure m'apparut en pleine lumière lors de l'aventure que je vais relater.

Par une de ces chaudes journées de printemps, comme seule en offre l'atmosphère alpestre et limpide du Colorado, une de ces journées qui vous rendent heureux de vivre, je me trouvais sur le seuil d'une remise transformée en maison, en conversation avec une jeune femme qui habitait l'appartement de l'étage. Le rez-de-chaussée avait été converti en atelier d'artiste, mais la même entrée servait aux deux locataires. Les occupants de l'appartement devaient passer par un petit couloir, et longer un mur de l'atelier pour atteindre l'escalier menant à leur appartement. Ils disposaient donc d'une sorte de « servitude » à l'intérieur du territoire de l'artiste.

Tandis que sur le seuil je poursuivais mon entretien, je m'aperçus, ayant jeté un regard sur ma gauche, qu'à environ 15 ou 20 mètres, à l'intérieur de l'atelier, l'artiste et deux de ses amis se trouvaient également en conversation.

L'Allemand était placé de telle façon qu'en regardant dans ma direction, il pouvait juste m'apercevoir. J'avais remarqué sa présence, mais ne voulant ni m'imposer ni l'interrompre dans sa conversation, j'appliquai inconsciemment la règle américaine, et je fis comme si nos deux activités — ma conversation et la sienne — n'interféraient en aucune façon. J'appris bientôt mon erreur, car en moins de temps qu'il ne faut pour le dire, l'artiste avait quitté ses amis, traversé l'espace qui nous séparait, écarté mon amie et, les yeux injectés de colère, il se mit à m'invectiver. De quel droit avais-je pénétré dans son atelier sans le saluer ? Qui m'y avait autorisé ?

Je me sentis si profondément atteint et humilié que trente ans après je sens encore la colère monter en moi. Lorsque j'eus, grâce à mes travaux ultérieurs, acquis une meilleure intelligence des structures du comportement germanique, je compris qu'aux yeux d'un Allemand, je m'étais montré intolérablement impoli. Pour lui, je me trouvais déjà *dans* la maison, et, dans la mesure où je pouvais *voir* ce qui s'y passait, j'étais considéré comme un intrus. Pour l'Allemand, on ne peut se trouver dans une pièce sans être en même temps dans la zone d'intrusion de leur occupant et ceci vaut particulièrement si on le regarde, de quelque distance que ce soit.

J'ai pu récemment corroborer ces expériences concernant le sentiment de l'intrusion visuelle chez les Allemands au cours de recherches portant sur ce qu'ils regardent quand ils se trouvent dans des situations intimes, personnelles, sociales et publiques. J'avais demandé à des sujets de photographier séparément un homme et une femme dans les quatre situations mentionnées plus haut. Un de mes assistants qui se trouve être allemand me présenta ces photos. « On n'a pas vraiment le droit, dit-il, de regarder les autres lorsqu'ils se trouvent à la distance publique, *parce que c'est une intrusion.* » Cette réaction illustre bien le comportement culturel coutumier qui est à l'origine des lois allemandes, interdisant de photographier les étrangers en public sans leur consentement.

La « sphère privée ».

Les Allemands vivent leur propre espace de comportement comme un prolongement de l'*ego*. On peut trouver un écho de ce sentiment dans le terme de « Lebensraum » qui est impossible à traduire à cause de sa trop grande richesse connotative. Hitler s'en servait comme d'un véritable levier psychologique pour infuser aux Allemands l'esprit de conquête. Contrairement à celui de l'Arabe, comme nous le verrons plus loin, le moi de l'Allemand est extraordinairement vulnérable et mettra tout en œuvre pour protéger sa

« sphère privée ». La Deuxième Guerre mondiale en a fourni la preuve aux soldats américains qui eurent l'occasion d'observer des prisonniers allemands dans une série de circonstances diverses. Un cas put être observé dans le Middle West où les prisonniers allemands logeaient à quatre dans de petites huttes : dès qu'il leur fut possible de se procurer les matériaux nécessaires, chaque prisonnier construisit une cloison de manière à posséder *son propre espace*. Dans des circonstances plus défavorables, en Allemagne, au moment de la défaite de la Wehrmacht, l'afflux des prisonniers allemands atteignit un tel débit qu'il fallut les parquer en plein air entourés seulement de palissades. On put constater alors que tout soldat qui parvenait à trouver les matériaux nécessaires construisait sa propre minuscule unité de logement, guère plus vaste parfois qu'un terrier de renard. Les Américains s'étonnaient que les Allemands n'aient pas uni leurs efforts et mis en commun leurs misérables ressources pour construire un abri collectif plus vaste et efficace par ces nuits glaciales de printemps. Depuis lors j'ai observé à maintes reprises cette utilisation pour la protection de prolongements architectoniques. Dans les maisons allemandes qui ont des balcons, ceux-ci sont agencés de manière à permettre une isolation visuelle. Les cours individuelles sont généralement protégées par de solides clôtures mais, closes ou non, elles sont sacrées.

La conception américaine du partage de l'espace est particulièrement gênante pour les Allemands. Je ne possède pas de documents personnels sur le début de l'occupation de Berlin en ruine. Je ferai donc appel au témoignage d'un observateur pour citer un exemple dont le caractère macabre est si souvent caractéristique des contresens culturels involontaires.

La crise du logement avait alors atteint, à Berlin, une indescriptible acuité. Pour tenter de remédier un peu à cette misère, les autorités d'occupation de la zone américaine donnèrent ordre aux Berlinois qui possédaient encore des cuisines et des salles de bains intactes de les partager avec leurs voisins. Mais cet ordre dut finalement être annulé lorsque les Allemands, déjà hypertraumatisés, commencèrent à s'entre-tuer sous l'effet de la mise en commun de ces services.

En Allemagne, les bâtiments publics et privés, de même que beaucoup de chambres d'hôtel, possèdent souvent des doubles portes pour l'isolation phonique. De plus, la porte revêt une grande importance pour les Allemands. Ceux qui viennent aux U.S.A. trouvent nos portes légères et fragiles. Une porte fermée et une porte ouverte n'ont pas le même sens dans les deux pays. Dans leurs bureaux, les Américains travaillent portes ouvertes. Les Allemands les ferment. Mais, en Allemagne, la porte fermée ne signifie pas pour autant que celui qui est derrière souhaite la tranquillité ou fait quelque chose de secret. Simplement pour les Allemands les portes ouvertes produisent un effet désordonné et débraillé. La fermeture de la porte préserve l'intégrité de la pièce et assure aux personnes la réalité d'une frontière protectrice qui les préserve de contacts trop intimes. Un de mes sujets allemands remarquait : « S'il n'y avait pas eu de portes chez nous, nous nous serions disputés bien plus souvent... Quand on ne peut pas parler, on se retire derrière une porte... Sans portes, j'aurais été continuellement à la merci de ma mère. »

Chaque fois qu'un Allemand se met à parler librement de l'espace intérieur des demeures américaines, il ne manque pas de se plaindre du bruit transmis par les murs et les portes. Pour beaucoup d'entre eux, nos portes résument le mode de vie américain. Elles sont minces et bon marché ; elles sont rarement bien ajustées, et la réalité substantielle des portes allemandes leur fait défaut. Quand on les ferme, on ne les sent pas solides. Le bruit de la clef dans la serrure est indistinct, bavard ou encore totalement inexistant. La pratique américaine de la porte ouverte et la pratique allemande de la porte fermée se heurtent en particulier dans les bureaux des filiales des sociétés américaines et allemandes. La méconnaissance de ce fait élémentaire s'est révélée être la cause de friction et malentendus sérieux entre administrateurs allemands et américains en Europe. C'est ainsi que j'eus l'occasion d'être consulté par une compagnie qui avait des succursales dans le monde entier. La première question que l'on me posa fut : « Comment peut-on obtenir des Allemands qu'ils gardent leurs portes ouvertes ? » Dans les bureaux de cette firme, les portes ouvertes traumatisaient les Allemands et créaient à leurs yeux une atmosphère anormalement détendue et peu sérieuse. Les portes fermées donnaient au contraire aux Américains le sentiment d'une conspiration générale d'où ils étaient exclus. Le fait demeure donc qu'une porte ouverte ou fermée aura toujours un sens différent pour les deux pays.

L'ordre dans l'espace.

Le sens de l'ordre et de la hiérarchie caractéristique de la culture allemande marque aussi la façon dont les Allemands manient l'espace. Ceux-ci aiment les situations précises et bien définies et ils ne supportent pas les gens qui coupent les files d'attente, qui sortent du rang ou refusent d'obéir aux panneaux d'interdiction du type « accès interdit » ou « réservé aux personnes munies d'autorisations ». Certaines de leurs réactions vis-à-vis des Américains sont imputables à notre désinvolture à l'égard de toutes les formes d'interdit et d'autorité. Pourtant ils souffrent bien davantage encore des violations de l'ordre commises par les Polonais qui, eux, trouvent un certain agrément au désordre. Pour ces derniers, files d'attente et queues sont synonymes de grégarité, de soumission aveugle. Il m'est arrivé de voir un Polonais couper une file devant une cafétéria pour le simple plaisir de « bousculer un peu ces moutons ».

Ainsi que je l'indiquais plus haut, les Allemands témoignent d'une extrême précision en matière de distance d'intrusion. Demandant un jour à mes étudiants de m'indiquer la distance à partir de laquelle on peut considérer que la présence d'un tiers vient gêner la conversation de deux autres personnes, je ne pus obtenir de réponse des Américains. Chaque étudiant savait qu'il pouvait indiquer expérimentalement le moment où il commençait à être gêné, mais aucun ne pouvait donner une définition de l'intrusion ni dire comment il en prenait conscience. Toutefois deux de mes étudiants, un Allemand et un Italien, qui avaient tous deux travaillé en Allemagne, répondirent sans hésiter que la distance d'intrusion était de 2,10 mètres.

Beaucoup d'Américains ont le sentiment que les Allemands se comportent d'une manière excessivement rigide, intransigeante et solennelle. Cette impression est due à leur maniement des sièges lorsqu'ils s'asseyent. L'Américain n'attache pas d'importance à la façon dont les gens déplacent leurs sièges pour s'adapter à une situation donnée — et si d'aventure ce n'était pas le cas, il n'en dirait rien, car toute observation personnelle est impolie. Mais en Allemagne, il est absolument contraire aux usages de déplacer son siège. Ceux qui l'ignoreraient en seraient d'ailleurs détournés par le poids même de la plupart des meubles allemands. Le célèbre architecte Mies van der Rohe qui s'est pourtant souvent rebellé contre la tradition allemande dans son architecture, a donné à ses admirables sièges un poids tel que seul un homme robuste peut les déplacer pour s'asseoir. Pour les Allemands, un mobilier léger est sacrilège, non seulement parce qu'il ne fait pas sérieux, mais parce que les gens le déplacent et dérangent ainsi l'ordre établi et en particulier celui de la « sphère privée ». On m'a rapporté le cas d'un journaliste allemand résidant aux Etats-Unis, qui avait fait river au plancher, « à la distance convenable », le siège réservé à ses visiteurs parce qu'il ne pouvait supporter l'habitude américaine qui consiste à adapter la position du siège à la situation.

LES ANGLAIS

On a dit des Anglais et des Américains qu'ils étaient deux grands peuples séparés par une langue. Les différences qu'on attribue au langage ne sont pas tant imputables aux mots qu'à des formes de communication non verbales qui peuvent aller de l'intonation britannique (très affectée pour une

oreille américaine), à certaines formes, liées à l'*ego*, du
maniement du temps, de l'espace et des objets. S'il exista
jamais une différence proxémique entre deux cultures, c'est
bien celle qui oppose les Anglais cultivés (issus des *public
schools*) et les Américains de classe moyenne. Une des
raisons fondamentales de cette divergence profonde réside
dans le fait qu'aux Etats-Unis nous utilisons l'espace comme
mode de classification des gens et de leurs activités, alors
qu'en Angleterre c'est le système social qui détermine le
standing des individus. Aux Etats-Unis, votre adresse privée
comme celle de votre travail contribuent de façon importante
à votre statut social. Les Jones de Brooklyn ou de Miami
ne sont pas aussi « in » que les Jones de Newport ou de
Palm Beach. Greenwich et le Cap Cod sont séparés par un
monde de Newark et Miami. Les firmes installées dans Madi-
son ou Park avenue sont supérieures à celles de la Septième
ou de la Huitième avenue. Un bureau d'angle est plus presti-
gieux qu'un bureau situé près d'un ascenseur ou à l'extrémité d'un long couloir. L'Anglais, lui, est élevé à l'intérieur
d'un système social. Un lord demeure un lord quel que soit
son lieu de résidence ou de travail, celui-ci fût-il même le
comptoir d'une poissonnerie. Mais outre ce rôle accordé aux
distinctions de classes, Anglais et Américains diffèrent aussi
par leur mode d'organisation et de répartition de l'espace.

L'Américain moyen, élevé aux Etats-Unis, estime qu'il a
droit à sa propre chambre ou en tout cas à une partie
d'une chambre. Quand je demande à des sujets américains
de dessiner une pièce ou un bureau idéal, c'est toujours
pour eux-mêmes qu'ils le conçoivent et pour personne
d'autre; et si on leur demande de dessiner leur chambre
ou leur bureau actuel lorsqu'ils partagent cette pièce,
ils font seulement figurer la partie qu'ils occupent eux-
mêmes en la séparant du reste par un trait. Les sujets
masculins et féminins s'accordent pour faire de la cuisine
et de la chambre à coucher les pièces appartenant à l'épouse
ou la mère, tandis que le territoire du père est représenté
par le bureau, le cabinet de travail et, s'il n'y en a pas,
l'atelier de bricolage, le sous-sol ou parfois seulement un

établi ou encore le garage. Quand une Américaine veut être seule, elle va dans sa chambre et en ferme la porte. La porte fermée est le signe qui veut dire « ne me dérangez pas » ou « je suis en colère ». Que ce soit chez lui ou au bureau, un Américain est disponible du moment que sa porte est ouverte. Il n'est pas censé s'enfermer, mais se tenir au contraire constamment à la disposition des autres. On ferme les portes seulement pour les conférences ou les conversations privées, pour un travail qui exige la concentration, pour l'étude, le repos et le sommeil, la toilette et les activités sexuelles. L'Anglais des classes moyennes et supérieures grandit au contraire dans une nursery qu'il partage avec ses frères et sœurs. Seul l'aîné occupe une chambre individuelle qu'il abandonne lorsqu'il quitte la maison pour le pensionnat, parfois dès l'âge de neuf ou dix ans. Le fait de partager dès l'enfance un espace commun au lieu de posséder sa propre chambre semble un détail trivial mais exerce pourtant une influence décisive sur l'attitude de l'Anglais à l'égard de son propre espace. Il est possible qu'il ne puisse jamais disposer d'une « chambre à soi » et il ne s'en formalise pas parce qu'il ne s'y attend guère ou ne pense pas y avoir droit. Les membres du Parlement eux-mêmes ne possèdent pas de bureaux et traitent souvent leurs affaires sur la terrasse qui surplombe la Tamise. C'est pourquoi les Anglais s'étonnent du besoin qu'ont les Américains d'un lieu tranquille propre au travail, bref, d'un bureau. De leur côté les Américains qui travaillent en Angleterre sont contrariés lorsqu'ils ne peuvent disposer de l'espace de travail qu'ils jugent nécessaire. Quant au rôle du mur dans la protection de l'*ego*, la position des Américains se situe entre celle des Anglais et des Allemands.

Cette opposition des comportements américain et anglais prend tout son sens lorsqu'on se rappelle que l'homme, comme les autres animaux, possède un besoin inné de s'isoler d'autrui de temps à autre. Les conséquences des conflits entre les comportements culturels cachés sont admirablement illustrées par le cas d'un de mes étudiants anglais. A l'époque, celui-ci éprouvait, de toute évidence, de grandes

difficultés dans ses rapports avec les Américains. Tout allait
de travers et il ressortait de ses propos que les Américains
n'avaient aucune éducation. De l'analyse de ses griefs il
apparut que son irritation était due en grande partie au
fait que les Américains n'étaient pas capables de déchiffrer
les indices subtils signalant les moments où il désirait être
à l'abri des intrusions. Son témoignage est clair : « On dirait
que chaque fois que je désire être seul, mon camarade de
chambre se met à me parler. Bientôt il me demande ce
que j'ai et veut savoir pourquoi je suis en colère. A ce
stade, je suis effectivement en colère et je peux lui donner
une réponse. »

Il nous fallut un certain temps pour parvenir à définir la
plus grande partie des structures culturelles opposées appartenant aux mondes anglais et américain, qui entraient en
conflit dans son cas. Lorsqu'un Américain veut être seul, il
se rend dans une pièce et ferme la porte ; il dépend donc
des éléments architectoniques pour s'isoler. Pour un Américain refuser de parler à une personne qui se trouve dans
la même pièce, lui infliger le « traitement du silence », constitue la forme suprême du refus et le signe évident d'un
profond mécontentement. Mais l'Anglais qui, depuis l'enfance n'a jamais eu de pièce à lui, n'a pas appris à utiliser
l'espace pour se protéger des autres. Il dispose d'un ensemble de barrières intérieures, de nature psychique, que les
autres sont censés reconnaître lorsqu'il les fait fonctionner.
Ainsi, plus l'Anglais se barricade en présence d'un Américain,
plus grand est le risque pour que celui-ci fasse irruption
pour s'assurer que tout va bien. La tension persiste jusqu'à
ce que les deux individus apprennent à mieux se comprendre. Ce qui importe ici, c'est que les besoins spatiaux et
architecturaux de chacun ne sont nullement les mêmes.

Le téléphone.

La différence entre les barrières psychiques et les barrières
spatiales respectivement utilisées par Anglais et Américains
pour la protection de leur intimité, se traduit aussi par un

maniement très différent du téléphone. Il n'existe aucun moyen de protection matériel, ni mur, ni porte, contre le téléphone. Et comme il est impossible de savoir d'après la sonnerie qui se trouve à l'autre bout du fil ou si la communication est urgente, tous les gens se sentent contraints de répondre aux appels téléphoniques. Ainsi, pour peu qu'un Anglais éprouve le besoin de s'isoler, il ressentira l'appel du téléphone comme l'intrusion d'un malotru. Dans l'impossibilité de connaître l'état d'âme de leur interlocuteur, les Anglais hésitent souvent à téléphoner ; ils préfèrent plutôt envoyer quelques lignes écrites. Téléphoner leur semble mal élevé et trop « pressant ». Une lettre ou un télégramme mettront plus de temps à arriver, mais seront moins perturbants. Le téléphone sert pour les activités professionnelles et dans les cas d'urgence.

J'ai moi-même utilisé cette méthode pendant plusieurs années, lorsque j'habitais à Santa Fé (Nouveau-Mexique) pendant la crise économique. Je m'étais dispensé de téléphone pour des raisons financières. De plus, je jouissais de la tranquillité de ma petite retraite montagnarde et ne désirais pas être dérangé. Cette particularité devait m'attirer des réactions scandalisées. Les gens ne comprenaient pas cette manière de faire. Et la consternation se peignait sur leur visage lorsqu'à la question : « Comment puis-je vous joindre ? », je répondais : « Envoyez-moi un mot, je passe à la poste tous les jours. »

Aux Etats-Unis, où la plupart des citoyens des classes moyennes disposent de pièces privées et se sont évadés de la ville vers la banlieue, nous avons réussi à pénétrer jusqu'au plus privé de leur intimité domestique au moyen de l'instrument le plus public, le téléphone. N'importe qui peut nous appeler à n'importe quel moment. En fait, nous devenons si faciles à atteindre qu'il a fallu élaborer des systèmes de protection complexes pour les gens occupés.

Une habileté et un tact considérables doivent être dispensés pour filtrer les messages sans blesser personne. A ce jour, la technologie moderne n'a pas encore su s'adapter au besoin qu'ont les individus de se retirer dans la solitude en eux-mêmes ou au sein de leur famille. Le problème vient du fait que la sonnerie ne permet pas de déterminer l'identité du demandeur ni le degré d'urgence du message. Certains font retirer leur nom de l'annuaire, mais cela entraîne des difficultés pour les personnes venant de l'extérieur. Le gouvernement américain a adopté la solution des téléphones spéciaux (rouges en général) pour les personnalités importantes. La « ligne rouge » court-circuite secrétaires, pauses-café et lignes occupées, et est directement reliée à la Maison-Blanche, au Département d'Etat et au Pentagone.

Les voisins.

Les Américains résidant en Angleterre manifestent une remarquable constance dans leurs réactions à l'égard des Anglais. Si la plupart d'entre eux sont blessés et surpris par l'attitude de ceux-ci, c'est qu'ils ont été formés par les structures de voisinage américaines, et n'interprètent pas correctement celles des Anglais. En Angleterre, la proximité ne signifie rien. Le fait d'habiter la porte à côté d'une autre famille ne vous autorise ni à rendre visite à ses membres, ni à frayer avec eux, ni à leur emprunter des objets, ni à considérer leurs enfants comme des camarades de jeux pour les vôtres. Il est difficile d'avoir des renseignements statistiques précis sur les Américains qui s'adaptent convenablement au milieu anglais.

L'attitude des Anglais à l'égard des Américains est incontestablement colorée par notre ancien statut de colonie. Cette réaction est beaucoup plus consciente et sera donc plus facilement invoquée que le droit tacite de l'Anglais à défendre son intimité contre les agressions du monde. A ma connaissance, tous ceux qui ont tenté d'établir des rapports avec des Anglais sur la seule base du voisinage, n'y ont pratiquement jamais réussi. Il peut leur arriver d'entrer en relation avec leurs voisins et même d'avoir avec eux des rapports amicaux : toutefois le voisinage n'en sera jamais la raison, car chez les Anglais les rapports sociaux ne sont pas fonction des structures spatiales mais du statut social.

A qui appartient la chambre à coucher ?

En Angleterre, dans la bonne bourgeoisie, c'est l'homme et non la femme qui est considéré comme le propriétaire de la chambre à coucher ; sans doute est-ce pour lui permettre de se protéger des enfants qui n'ont pas encore acquis leurs mécanismes d'isolement psychique. C'est l'homme et non la femme qui possède un « dressing room » ainsi qu'un bureau où il peut se retirer. L'homme anglais est très difficile en matière vestimentaire et il consacre beaucoup de temps et d'attention à l'achat de ses vêtements. La femme, au contraire, témoigne à cet égard d'une attitude comparable à celle de l'homme américain.

La « force » de la voix.

La distance adéquate entre individus peut être maintenue à l'aide de plusieurs mécanismes différents. Le volume de la voix constitue l'un des mécanismes dont la structure varie d'une culture à l'autre. En Angleterre, d'une façon générale, les Américains sont continuellement accusés de parler trop fort. Cette « force » de la voix dépend de deux formes de régulation, concernant d'une part la force propre de la voix, de l'autre la modulation, liée à la direction. Les Américains augmentent le volume de leur voix en fonction de la distance en utilisant plusieurs niveaux : murmure, voix normale, voix élevée, etc. Plus grégaires que les Anglais, les Américains sont dans beaucoup de cas indifférents au fait que tout le monde les entende. En réalité leur nature extravertie les pousse à montrer qu'ils n'ont rien à cacher. Les Anglais, au contraire, sont très soucieux de discrétion ; pour réussir à se passer de bureaux individuels et à ne pas se gêner, ils ont mis au point des techniques raffinées qui leur permettent de régler leur voix par rapport à leur interlocuteur de façon à ce qu'elle franchisse juste les bruits de fond et la distance nécessaire. Pour les Anglais, parler trop fort est une forme d'intrusion, un signe de mauvaise édu-

cation et l'indice d'un comportement socialement inférieur.
En revanche, dans un contexte américain, leur façon de
moduler la voix rendra un son de conspiration à l'oreille
américaine et les fera classer parmi les gêneurs.

Le regard.

L'étude du comportement du regard révèle des contrastes
intéressants entre les deux cultures. En effet, les Anglais
qui habitent les Etats-Unis n'éprouvent pas seulement des
difficultés lorsqu'ils veulent s'isoler des autres mais également quand ils recherchent leur contact. Ils ne peuvent
jamais avoir la certitude qu'un Américain les écoute. Quant
à nous, nous ne savons pas davantage si un Anglais nous
a compris. Beaucoup de ces ambiguïtés de la communication tiennent à des différences dans la manière de regarder.
L'Anglais a appris à accorder toute son attention à son
interlocuteur et à l'écouter avec soin : la politesse l'exige et
n'admet aucune barrière protectrice. Ce n'est ni en hochant
de la tête, ni en émettant des grognements qu'il indiquera
qu'il a saisi votre discours, mais en clignant des yeux. L'éducation des Américains, en revanche, leur a appris à ne
jamais regarder fixement. Nous ne regardons droit dans les
yeux que dans des circonstances très particulières où il
s'agit d'atteindre à coup sûr l'interlocuteur.

Dans le cours d'une conversation le regard d'un Américain
vagabonde d'un œil à l'autre de son interlocuteur dont il
peut même abandonner le visage pendant un bon moment.
En pareil cas, au contraire, pour l'Anglais bien élevé, la
marque de l'attention consistera à immobiliser l'œil à la
distance sociale, de telle sorte que quel que soit l'œil fixé
par l'interlocuteur, celui-ci aura toujours l'impression d'être
regardé en face. Mais pour accomplir cet exploit l'Anglais
doit se trouver à 2,40 mètres au moins de son interlocuteur.
Il est en effet trop proche dès que le champ horizontal de
12 degrés de la macula ne permet plus de regarder fixement.
A moins de 2,40 mètres, il ne peut fixer les deux yeux à la fois.

Les Français du Sud-Est appartiennent en général au complexe culturel méditerranéen. Les membres de ce groupe s'agglutinent plus volontiers que les Européens du Nord, les Anglais ou les Américains. Le rapport des Méditerranéens avec l'espace se révèle dans leurs trains bondés, leurs autobus, leurs cafés, leurs autos et leurs demeures. Les châteaux et villas des riches constituent naturellement une exception. La promiscuité implique généralement une vie sensorielle très intense. L'importance que les Français accordent à la vie sensorielle n'apparaît pas seulement dans leur façon de manger, de recevoir, de parler, d'écrire, de se réunir au café, mais elle se traduit jusque dans leur manière d'établir leurs cartes routières. Celles-ci sont extraordinairement bien conçues : elles offrent au voyageur les renseignements les plus détaillés. Elles sont la preuve que les Français font travailler tous leurs sens, car elles ne se contentent pas d'aider le touriste à s'orienter ; elles lui indiquent également les sites, les promenades pittoresques et même les endroits où faire halte, se rafraîchir, se promener ou prendre un repas agréable. Elles indiquent au voyageur la nature des différents sens sollicités selon les lieux.

La maison et la famille.

Le fait que beaucoup de Français disposent de peu de place explique en partie le plaisir qu'ils semblent avoir à vivre hors de chez eux. Le Français reçoit au café et au restaurant. La maison est réservée à la famille, les lieux extérieurs sont consacrés aux distractions et aux rapports sociaux. D'après ma propre expérience et celles qui m'ont été rapportées, les logements sont souvent surpeuplés. C'est surtout vrai pour la classe ouvrière et la petite bourgeoisie avec pour conséquence un rôle important de la sensualité dans les rapports interpersonnels. L'organisation des bureaux et des maisons, l'aménagement des petites et grandes villes comme celui de la campagne, sont de nature à entretenir les contacts.

Les rapports interpersonnels sont caractérisés par une grande intensité. Quand un Français s'adresse à vous, c'est vraiment vous qu'il regarde, il n'y a pas d'ambiguïté possible. S'il regarde une femme dans la rue, il le fait sans équivoque. Les femmes américaines, de retour aux Etats-Unis après avoir vécu en France, éprouvent souvent un sentiment de frustration sensorielle. Certaines m'ont confié qu'après avoir pris l'habitude d'être regardées, la coutume américaine qui veut qu'*on ne regarde pas* leur donnait le sentiment de ne pas exister.

La sensualité des Français n'est pas développée seulement au niveau des contacts interpersonnels, elle est intensément ouverte à l'ensemble de l'environnement. L'automobile française est conçue pour répondre aux besoins des Français. Nous avons coutume d'attribuer son exiguïté à un niveau de vie inférieur et à des prix de revient supérieurs aux nôtres ; bien que le facteur économique entre en ligne de compte, il serait naïf de croire qu'il est le plus important. L'automobile est une expression de la culture exactement au même titre que le langage, et possède de ce fait sa propre place dans le biotope culturel d'un peuple. Des changements apportés à la voiture refléteraient des changements survenus dans d'autres secteurs d'activité et seraient à leur tour reflétés par eux. Si les Français conduisaient des voitures américaines, ils seraient contraints d'abandonner de nombreux comportements vis-à-vis de l'espace auxquels ils sont attachés. La circulation automobile le long des Champs-Elysées et autour de l'Arc de triomphe évoque à la fois l'autoroute de l'Etat de New Jersey par un beau dimanche après-midi et le circuit de compétition d'Indianapolis. Avec des autos de format américain, on assisterait à un suicide généralisé. Au milieu de la circulation parisienne, même les rares modèles « compacts » importés des Etats-Unis font l'effet de requins parmi des gardons. Aux Etats-Unis, les mêmes voitures paraissent normales parce que le contexte est à l'échelle, mais à l'étranger elles offrent une image suggestive du fameux acier de Detroit. Les monstres américains donnent ses aises à l'*ego* et empêchent l'interférence des sphères personnelles à l'intérieur des voitures, ce qui permet à chaque passager de préserver son quant-à-soi. Cela ne veut naturellement pas dire que tous les Américains soient semblables et identiquement marqués par le monde de Detroit. Beaucoup d'Américains, ne trouvant pas chez eux ce qu'ils désirent, choisissent des voitures européennes qui sont plus petites, plus faciles à manœuvrer et qui répondent mieux à leur personnalité et à leurs besoins. Toutefois, le style des voitures en France témoigne d'une différenciation beaucoup plus prononcée qu'aux Etats-Unis. Comparez une Peugeot, une D.S. et une 404, une Dauphine et une 2 CV : il faudrait aux Etats-Unis des dizaines d'années de transformations dans le design automobile pour parvenir à une telle variété.

Les Français et l'espace extérieur.

Pour satisfaire également la totalité de leurs exigences spatiales, les citadins français ont appris à tirer le meilleur parti des parcs et des espaces libres urbains. Pour eux, la ville doit être une source de satisfactions au même titre que ses habitants. Une atmosphère relativement peu polluée, de larges trottoirs (jusqu'à 20 mètres), des voitures dont les dimensions ne sont pas écrasantes, tous ces éléments contribuent à favoriser l'existence de cafés en plein air et de lieux de rassemblement où les gens ont plaisir à se retrouver. Dans la mesure où les Français savourent leurs villes et participent à leur animation, y jouissent de la variété des perspectives et de la diversité des sens et des odeurs, profitent des larges trottoirs, des avenues et des parcs, ils ressentent certainement moins le besoin de s'isoler dans leurs automobiles comme c'est le cas aux Etats-Unis où les gens sont écrasés par la dimension des gratte-ciel et des voitures, agressés visuellement par la saleté et les détritus et intoxiqués par le « smog » et l'oxyde de carbone.

L'étoile et l'échiquier.

Il existe en Europe deux systèmes principaux de structuration de l'espace. L'un, « radioconcentrique », surtout fréquent en France et en Espagne, est sociopète. L'autre, « l'échiquier », originaire d'Asie Mineure, puis adopté par les Romains qui l'introduisirent en Angleterre au temps de César, est sociofuge. Le système franco-espagnol relie entre eux tous les points et toutes les fonctions. Ainsi dans le système du métro français, les différentes lignes se croisent aux points clefs de la ville comme l'Opéra, la place de la Concorde et la Madeleine. Le système de l'échiquier dissout au contraire les activités. Chacun de ces systèmes présente des avantages, mais pour les usagers il est difficile de passer de l'un à l'autre.

Si, par exemple, on se trompe de direction dans le système radioconcentrique, l'erreur devient de plus en plus grave à mesure que l'on s'éloigne du centre. En fait, la moindre erreur équivaut à un départ dans la mauvaise direction. Dans le système de l'échiquier, des erreurs sont forcément de 90 ou 180 degrés et sont par conséquent faciles à percevoir même par ceux qui n'ont pas le sens de l'orientation. Du moment que vous êtes dans la bonne direction générale, une erreur d'un ou deux blocs peut toujours se corriger à temps. Pourtant le système radioconcentrique présente des avantages particuliers. Une fois qu'on a appris à s'en servir, il est beaucoup plus facile de localiser des objets ou les lieux en indiquant un point sur une ligne. Ainsi un étranger pourra aisément donner un rendez-vous à la borne 50 kilomètres sur la nationale 20 au sud de Paris : aucune autre précision n'est nécessaire. En revanche, le système de coordonnées de l'échiquier implique au moins deux lignes et un point pour toute localisation dans l'espace (et très souvent un bien plus grand nombre de lignes et de points sont nécessaires selon le nombre de tournants à prendre). Le système radioconcentrique permet également d'intégrer dans un espace moindre un plus grand nombre de fonctions centrales que le système en échiquier. C'est ainsi que du centre on accède facilement à la fois aux secteurs résidentiels et commerciaux, aux marchés et aux lieux de distraction.

On ne peut imaginer le nombre d'aspects de la vie française qui sont liés au système radioconcentrique. En fait, ce système représente pour ainsi dire le modèle global, aux centres interconnectés, de la culture française. Seize routes nationales traversent Paris, douze Caen et Amiens, onze Le Mans et dix Rennes. Ces chiffres ne peuvent malheureusement pas donner une idée précise de la signification de ce système qui fait de la France une hiérarchie de réseaux radioconcentriques de plus en plus importants. Tout centre inférieur est directement relié au centre supérieur. D'une manière générale, les liaisons entre deux centres déterminés ne traversent pas les autres villes puisque chacune d'entre elles dispose de son système de liaison autonome. Cette structure s'oppose donc à celle, qui aux Etats-Unis, enfile telles les perles d'un collier, les petites agglomérations sur des routes qui relient les centres municipaux.

Dans *The Silent Language* j'ai montré le rôle de la centralité dans les bureaux de l'administrateur français dont les subordonnés sont placés tels des satellites sur des rayons qui convergent vers lui. J'eus un jour l'occasion de mesurer l'importance de cette notion, lorsqu'un de mes assistants français dans un groupe de recherche, me demanda une augmentation de salaire parce que son bureau occupait une position centrale ! De Gaulle lui-même sembla baser sa politique internationale sur la position géographique centrale de la France. Certains diront que l'extrême centralisation du système scolaire français ne peut avoir le moindre lien avec la structure des bureaux, du système métropolitain, des réseaux routiers ou finalement celle de l'ensemble de la vie française, mais je ne saurais être d'accord avec eux. Ma longue pratique des différences culturelles m'a convaincu que les lignes de force qui les sous-tendent en profondeur, pénètrent en général les structures d'une société à tous ses niveaux.

En décrivant brièvement trois formes de culture euro-péennes plus particulièrement proches de la classe moyenne américaine (historiquement et culturellement), j'ai surtout voulu faire apparaître clairement, par opposition, certaines de nos structures cachées. Nous avons montré qu'à des utili-sations différentes des sens différents, correspondent des besoins d'espace différents, quel que soit le secteur de l'échelle envisagée. Toute forme d'aménagement de l'espace, du bureau à la grande ou à la petite ville, exprime le compor-tement sensoriel de ses constructeurs et de ses occupants. Si l'on veut tenter de résoudre les problèmes posés par la rénovation des villes et la surpopulation urbaine, il est essentiel de savoir comment les populations concernées perçoivent l'espace et de quels sens elles se servent pour l'organiser.

Le chapitre suivant est consacré à des peuples dont le monde spatial est très différent du nôtre et devrait nous éclairer sur notre propre comportement.

12

Proxémie comparée des cultures japonaise et arabe

Les structures proxémiques jouent chez l'homme un rôle comparable à celui des conduites de séduction chez les animaux : en effet, elles aboutissent à la fois à consolider le groupe et à l'isoler des autres, en renforçant simultanément l'identité à l'intérieur du groupe, d'une part, et en rendant plus difficile la communication entre les groupes, d'autre part. Bien que du point de vue génétique et physiologique, l'homme constitue une seule et même espèce, les structures proxémiques des Américains et des Japonais, par exemple, semblent aussi opposées que les conduites de séduction du coq de bruyère américain et celles des oscins d'Australie décrites au chapitre II.

LE JAPON

Dans l'ancien Japon, structures sociales et spatiales étaient liées. Les shogouns tokugawa logeaient les daïmios, ou nobles, dans des zones concentriques autour de la capitale, Ado (Tokyo). La proximité au centre reflétait l'intimité avec le shogoun et la loyauté qu'on lui témoignait ; les plus

loyaux des daïmios étaient répartis dans une enceinte
protectrice intérieure. De l'autre côté de l'île, au-delà des
montagnes, du Nord au Sud, se trouvaient les sujets moins
sûrs ou d'allégeance suspecte. Le concept d'un centre acces-
sible de toutes parts est un thème classique de la culture
japonaise. Ce plan est typiquement japonais et ceux qui
connaissent le Japon y retrouvent le modèle qui structure
pratiquement tous les secteurs de la vie japonaise.

Comme nous l'indiquions plus haut, les Japonais donnent
des noms aux intersections plutôt qu'aux rues qui s'y croisent. En fait, chaque coin d'un carrefour possède son identité propre. L'itinéraire qui mène d'un point A à un point B
semble parfaitement fantaisiste à un Occidental et n'est
jamais déterminé comme chez nous. N'ayant pas l'habitude
des itinéraires fixes, les Japonais ne parviennent pas à
s'orienter lorsqu'il leur faut circuler dans Tokyo. Une fois
dans le quartier désiré, les chauffeurs de taxi sont obligés
de demander leur chemin aux postes de police, pas seulement
parce que les rues n'ont pas de nom mais parce que les
maisons sont numérotées par ordre d'ancienneté. Souvent
les voisins s'ignorent et sont, de ce fait, incapables de donner
des renseignements. Pour pallier ce trait de l'espace japonais, les forces d'occupation américaines donnèrent des
noms à quelques grandes artères de la ville et posèrent des
plaques écrites en anglais (avenues A, B, C...). Les Japonais
attendirent poliment la fin de l'occupation pour retirer les
plaques. Ils se retrouvaient pourtant déjà pris aux pièges
d'une innovation culturelle étrangère. Ils avaient découvert
qu'il peut être effectivement pratique de pouvoir désigner
l'itinéraire qui relie deux points. Il sera intéressant de voir si
la culture japonaise a définitivement intégré cette modification.

La structure japonaise centralisée ne se manifeste pas
seulement à travers une série d'autres dispositions spatiales,
j'espère démontrer qu'on la retrouve même dans la conversation. Le foyer japonais *(hibachi)* et sa position possèdent
une valeur affective peut-être plus forte encore que celle
attachée à la conception américaine du foyer. Selon les

paroles d'un vieux prêtre : « Pour connaître vraiment les Japonais, il faut avoir passé de froides soirées d'hiver serré avec eux autour de l'*hibachi*. Une couverture commune recouvre l'*hibachi* et enveloppe tous les assistants, installés côte à côte. On conserve ainsi la chaleur. C'est à travers cette expérience, à travers le contact des mains et la chaleur corporelle des autres, dans le sentiment de communauté qui s'en dégage, que l'on commence à connaître les Japonais. Voilà le vrai Japon. » En termes de psychologie, le centre de la pièce constitue un pôle positif tandis que son périmètre, d'où vient le froid, constitue un pôle négatif. Il n'est pas étonnant que les Japonais trouvent nos pièces dégarnies puisque, précisément, leurs centres sont vides.

Un autre aspect de l'opposition centre-périmètre concerne les conditions du mouvement et la définition des structures fixes et semi-fixes de l'espace. Aux États-Unis, les murs d'une maison sont fixes tandis qu'au Japon ils sont semi-fixes. En effet, les murs sont mobiles et les pièces polyvalentes. Dans une auberge japonaise, le client (le *ryokan*) voit les objets venir vers lui tandis que le décor change. Il est assis au centre de la pièce sur le *tatami* tandis que des panneaux coulissants sont tour à tour déployés ou refermés. Selon l'heure du jour, la pièce peut s'agrandir jusqu'à inclure l'environnement extérieur, ou peut être progressivement réduite aux dimensions d'un boudoir. Une cloison disparaît et on apporte un repas. Celui-ci terminé, l'heure du sommeil venue, une couche est déroulée sur le lieu même où l'on a mangé, préparé la nourriture, médité et reçu ses amis. Au matin, lorsque la pièce est à nouveau entièrement ouverte sur l'extérieur, les rayons du soleil ou la subtile odeur des sapins, portée par la brume des montagnes, viennent pénétrer et purifier l'espace intime.

Le film *la Femme de sable* donne une excellente idée des différences entre les mondes sensoriels occidentaux et orientaux. Il montre avec une rare précision l'importance du contact sensuel chez les Japonais. On éprouve, en le voyant, l'impression de se trouver dans la peau même des héros. Il est parfois impossible de reconnaître la partie du corps que l'on a sous les yeux. La caméra se déplace lentement suivant chaque détail du corps. Le paysage de chair est agrandi ; sa texture prend, au moins pour un Occidental, l'aspect d'une topographie. Les reliefs de la chair de poule sont assez grands pour qu'on les distingue les uns des autres, tandis que les grains de sable ressemblent à de gros cailloux de quartz. On éprouve un peu le même sentiment que lorsqu'on observe au microscope la vie pulser doucement dans un embryon de poisson.

Un des termes les plus fréquemment employés par les Américains pour décrire le *modus operandi* des Japonais est celui du « détour ». Un banquier américain qui avait vécu des années au Japon en faisant un minimum d'effort d'adaptation, me disait notamment que ce qui l'irritait et le gênait le plus chez les Japonais était leur goût du détour. « Rien au monde ne me mettra plus sûrement hors de moi qu'un Japonais « ancien style ». Il est capable de tourner indéfiniment autour d'une question sans jamais vraiment l'aborder. » Mais il n'avait, bien entendu, pas conscience que la manière abrupte dont les Américains posent leurs problèmes est tout aussi traumatisante pour les Japonais qui ne comprennent pas pourquoi nous nous croyons tenus d'être toujours aussi « logiques ». Les jeunes missionnaires jésuites envoyés au Japon rencontrent au début des difficultés de cet ordre, gênés qu'ils sont par leur formation même. La logique du syllogisme sur laquelle ils s'appuient est en contradiction avec certaines structures les plus fondamentales de la vie japonaise. Ils doivent faire face à un dilemme cruel : être fidèles à leur propre tradition pédagogique et échouer dans leur mission, ou bien au contraire l'abandonner pour atteindre leur objectif.

Lors de mon voyage en 1957, le missionnaire jésuite qui réussissait le mieux, violait en fait les normes de son groupe pour adopter les habitudes locales. Il commençait son prêche par quelques syllogismes traditionnels, puis changeait rapidement de style ; il tournait *autour* de son sujet en commentant longuement les « impressions merveilleuses » (très importantes pour les Japonais) que procure la foi catholique. Avertis de ses méthodes et de leur succès, les autres membres de la congrégation subissaient néanmoins si profondément l'emprise de leur culture qu'ils parvenaient rarement à suivre son exemple et à violer leurs propres habitudes culturelles.

La notion d' « entassement ».

Pour l'Occidental qui appartient à un groupe de type sans contact, la connotation du mot entassement[1] est nettement déplaisante. Mais les Japonais que j'ai eu l'occasion de connaître, semblent préférer la foule, dans certaines circonstances tout au moins. Ils aiment dormir par terre proches les uns des autres, selon le « style japonais » qu'ils opposent au « style américain ». Il n'est donc pas étonnant que le mot « intimité » (*privacy*) n'existe pas en japonais, comme le fait remarquer Donald Keene dans son livre *Living Japan*. Pourtant, il serait erroné de croire que la notion d'intimité ou d'isolement n'existe pas chez les Japonais : elle est seulement très différente de la conception occidentale. En effet, si le Japonais peut ne pas désirer être seul et s'il n'est pas gêné par la présence continuelle d'autrui, il a néanmoins horreur de partager un mur de sa maison ou de son appartement. Sa maison et la *zone qui l'entoure directement* constituent pour lui une indissociable totalité. A ses yeux, cette surface libre, ce fragment d'espace autour de la maison fait partie intégrante de la demeure au même titre que le toit. Traditionnellement, elle contient un jardin, parfois minuscule, qui assure à l'occupant un contact direct avec la nature.

La conception japonaise de l'espace : le « ma ».

Les différences entre Japonais et Occidentaux ne se bornent pas à celles que nous venons d'analyser. C'est l'expé-

1. Nous traduisons ainsi *crowding* dont il n'existe pas d'équivalent français exact et que nous avons rendu ailleurs par **surpopulation** ou **surpeuplement**, selon le contexte.

rience globale de l'espace dans ses structures fondamentales qui est différente. Lorsque les Occidentaux parlent ou pensent à l'espace, il s'agit pour eux des distances entre les objets. En Occident, on nous enseigne, en effet, à percevoir et à réagir à l'organisation des objets et à imaginer un espace « vide ». Le sens de ce comportement n'apparaît clairement que par opposition à celui des Japonais qui ont au contraire appris à donner une *signification* aux différents espaces — à percevoir la forme et l'organisation des espaces ; c'est ici qu'intervient le « ma ». Le « ma », ou intervalle, est un élément constructif fondamental de l'expérience japonaise de l'espace. Non seulement il est mis en œuvre dans l'arrangement des fleurs, mais il constitue le facteur secret de l'organisation de tous les autres types d'espaces. La virtuosité des Japonais dans le maniement et l'organisation du « ma » est extraordinaire ; elle provoque l'admiration, et parfois même la crainte des Européens. Cette virtuosité dans le traitement de l'espace peut être symbolisée par le jardin du monastère zen de Ryoanji (xvᵉ siècle), près de Kyoto, l'ancienne capitale. Après avoir traversé le bâtiment principal aux sombres panneaux, et suivi un passage incurvé, le visiteur est soudain saisi par une vision dont la puissance est inoubliable : quinze pierres surgissant d'une mer de sable fin. La découverte du Ryoanji est une expérience affective de poids. Le visiteur est subjugué par l'ordre, la sérénité et la discipline qu'implique cette extrême simplicité. L'homme et la nature semblent en quelque sorte métamorphosés et harmonisés. De ce jardin se dégage également une philosophie des rapports de l'homme avec la nature. Quel que soit l'endroit d'où on le contemple, sa disposition est telle qu'une des pierres demeure toujours invisible : artifice sans doute également révélateur de l'âme japonaise. En effet, les Japonais pensent que la mémoire et l'imagination doivent toujours participer à la perception.

Leur art des jardins tient en partie au fait que dans leur perception de l'espace les Japonais mettent en œuvre non seulement la vue mais l'ensemble des autres sens. Les odeurs, les variations de température, l'humidité, la lumière, l'ombre et la couleur, tous ces éléments sont combinés de manière à exalter la participation sensorielle du corps entier. Au contraire des peintures de la Renaissance et du Baroque, organisées autour d'un point de fuite unique, le jardin japonais est conçu pour qu'on en jouisse d'une multiplicité de points de vue. Le paysagiste prévoit des haltes pour les visiteurs : c'est ainsi qu'en s'arrêtant au milieu d'un étang pour assurer son pas sur un rocher, le promeneur découvrira soudain, au moment propice, une vue insoupçonnée. *L'analyse de ces espaces fait apparaître l'habitude japonaise de conduire l'individu à l'endroit précis où il sera en mesure de découvrir quelque chose par lui-même.*

En revanche, les structures arabes décrites ci-dessous ne visent en rien à « conduire » qui que ce soit où que ce soit. Dans le monde arabe, l'individu est censé relier entre eux par ses propres moyens (et très rapidement) deux points très éloignés. L'étude des Arabes demandera donc un changement radical de perspective.

LE MONDE ARABE

Après plus de deux millénaires de contact, les Occidentaux et les Arabes ne se comprennent toujours pas. Au Moyen-Orient, les Américains sont immédiatement saisis par deux impressions contradictoires. En public, ils étouffent et se sentent submergés par l'intensité des odeurs et des bruits ainsi que par la densité de la foule ; au contraire, dans les maisons arabes ils se sentiront mal à l'aise, vulnérables et quelque peu déplacés à cause des espaces trop vastes ; les maisons et les appartements arabes des classes moyennes et supérieures, généralement occupés par les Américains au Moyen-Orient, sont beaucoup plus spacieux que les habitations américaines correspondantes. Les Américains s'initient donc au monde sensoriel des Arabes à la fois à travers la forte stimulation sensorielle vécue en public, et à travers le sentiment d'insécurité que fait naître en eux une demeure trop vaste.

Le comportement public.

Pousser et jouer des coudes en public sont des traits caractéristiques de la culture du Moyen-Orient. Mais ce comportement n'a pas exactement la signification — sans gêne et mauvaise éducation — que lui attribuent les Américains. Il découle d'un tout autre ensemble de motivations liées non seulement à la conception des rapports inter-individuels, mais à l'expérience personnelle du corps. Paradoxalement, les Arabes trouvent aussi que les Américains et les Européens du Nord manquent d'éducation. J'ai été frappé par cette constatation dès le début de mes recherches. Comment les Américains qui gardent leurs distances physiques et évitent les contacts physiques pouvaient-ils passer pour envahissants ? Je demandai l'explication à des Arabes. Aucun d'entre eux ne fut en mesure de préciser quelle particularité du comportement américain il fallait incriminer, mais ils furent unanimes à reconnaître son effet déplaisant sur la plupart des Arabes. Après des essais répétés et infructueux pour comprendre ce point de vue et cette réaction, j'y renonçai finalement, me fiant au seul temps pour résoudre le problème. Et lorsque la lumière se fit enfin, ce fut de façon tout à fait inopinée.

J'attendais un ami dans le hall d'un hôtel à Washington et, afin d'être à la fois seul et repérable, je m'étais assis dans un fauteuil situé à l'écart du flot des gens qui entraient et sortaient. En pareil cas, les Américains adoptent une règle d'autant plus impérative qu'ils la respectent sans y penser : si quelqu'un s'arrête ou s'assied dans un lieu public, il se trouve immédiatement protégé par une petite sphère d'isolement considérée comme inviolable. La taille de cette enceinte protectrice varie avec la densité de la foule, l'âge, le sexe, l'importance de l'individu et l'environnement. Toute personne qui pénètre dans cette zone et y demeure, est considérée comme une intruse. Et si elle a cependant une raison précise de le faire, elle traduira son sentiment d'intrusion en faisant précéder sa requête de mots d'excuse.

J'attendais donc dans le hall, maintenant désert, lorsqu'un étranger se dirigea vers l'endroit où j'étais assis et vint se placer si près de moi que non seulement je l'aurais facilement touché mais que je pouvais même l'entendre respirer. En outre la masse sombre de son corps remplissait entièrement la partie gauche de mon champ visuel périphérique. Si le hall avait été bondé, j'aurais pu comprendre son comportement, mais dans cet espace vide, la proximité de sa présence me mit mal à l'aise. Irrité de cette intrusion, je fis un mouvement du corps destiné à exprimer mon déplaisir. Mais, curieusement, au lieu de l'inciter à partir, ma réaction sembla plutôt lui produire l'effet inverse, car il se rapprocha encore davantage. Alors malgré ma tentation de fuir, je décidai de ne pas abandonner mon poste. Je pensais : « Qu'il aille au diable ! Pourquoi m'en irais-je ? J'étais le premier sur les lieux, je ne vais pas laisser cet individu m'en chasser, même si c'est un malotru. » Heureusement l'arrivée d'un groupe qu'il rejoignit aussitôt me libéra bientôt de mon envahisseur. Leur mimique m'expliqua son comportement, car à leur façon de parler et à leurs gestes, je compris que c'étaient des Arabes. Je n'avais pas pu établir ce point capital en regardant cet homme seul, car il n'avait pas parlé et était vêtu à l'américaine.

Plus tard, en décrivant la scène à un collègue arabe, je vis apparaître le contraste de deux structures proxémiques différentes. L'idée et le sentiment que je me faisais de ma sphère personnelle d'isolement dans un endroit « public » parurent à mon ami arabe à la fois étranges et surprenants, car après tout ne s'agissait-il pas effectivement d'un lieu public ? Je découvris par la suite qu'aux yeux d'un Arabe, le fait d'occuper un point particulier dans un endroit public ne me conférait aucun droit : ni mon corps, ni la place que je pouvais occuper n'étaient considérés comme inviolables. Pour l'Arabe, l'idée d'une intrusion en public n'est pas concevable. Ce qui est public est effectivement public. Cette révélation me permit de commencer à comprendre enfin toute une série de comportements qui m'avaient étonné, irrité, et parfois même effrayé. J'appris, par exemple, que

si un individu A se tient au coin d'une rue, et qu'un individu B convoite sa place, B est dans son droit en faisant
son possible pour rendre la situation désagréable au point
que A s'en aille. A Beyrouth, seuls les « durs » parviennent
à rester assis aux derniers rangs dans les cinémas : en effet,
les spectateurs debout et désireux de s'asseoir se montrent
habituellement si envahissants et gênants que la plupart
de ceux qui sont assis abandonnent la partie et quittent la
salle.

L'Arabe qui avait « violé » mon espace dans le hall de
l'hôtel avait de toute évidence choisi cet endroit pour la
même raison que moi : c'était un endroit commode pour
surveiller à la fois les deux portes et l'ascenseur. Les signes
de mon irritation, au lieu de l'éloigner, n'avaient fait que
l'encourager. Il pensait être sur le point de réussir à me
faire partir.

Le comportement désinvolte des Américains en matière
de circulation routière constitue une autre source cachée
de frictions entre Américains et Arabes. D'une manière
générale, aux Etats-Unis on cède le pas aux véhicules les
plus grands, plus rapides, plus puissants ou lourdement
chargés. Même si c'est à contrecœur, le piéton trouve normal
de se serrer sur le côté pour laisser passer une voiture
rapide. Il sait qu'en se déplaçant, il ne dispose plus sur
son espace proche du droit qu'il possède dans l'immobilité
(comme c'était mon cas dans le hall de l'hôtel). L'inverse est
vrai des Arabes qui *acquièrent des droits sur l'espace à
mesure qu'ils s'y déplacent*. Si un étranger se déplace dans
le même espace qu'un Arabe, il sera considéré comme violant
les droits de ce dernier. De même, l'Arabe sera furieux de
voir couper sa file devant lui sur une autoroute. C'est le
comportement cavalier des Américains dans l'espace de
mouvement qui les font qualifier d'agressifs et de sans-gêne
par les Arabes.

Conception de la zone « privée ».

L'expérience relatée plus haut, ainsi que beaucoup d'autres, me conduisirent à penser que les Arabes devaient sans doute avoir à l'égard du corps et de ses droits un ensemble de conceptions implicites totalement différentes des nôtres. Effectivement, leur goût de se bousculer et de se presser en public, leur façon de pincer et de tâter les femmes dans les transports publics ne seraient jamais tolérés par les Occidentaux. Je supposai qu'ils n'avaient pas l'idée de l'existence d'une zone personnelle privée à l'extérieur de leur corps, et mes recherches le confirmèrent.

Dans le monde occidental, on définit la personne comme un individu à l'intérieur d'une peau. En Europe du Nord, la peau et même les vêtements sont en général considérés comme inviolables. Pour pouvoir les toucher, l'étranger devra en demander la permission. Cette règle est valable dans certaines régions de France où le simple fait de toucher une personne au cours d'une discussion était autrefois légalement considéré comme une attaque. Chez l'Arabe, la localisation de la personne par rapport au corps est très différente. La personne existe quelque part au fond du corps. Mais le moi n'est pourtant pas complètement caché, puisqu'une insulte peut l'atteindre très aisément. Il est à l'abri du contact corporel mais non pas des mots. Cette dissociation du corps et du moi peut expliquer comment l'amputation publique de la main des voleurs est admise comme un châtiment normal en Arabie Séoudite. Elle permet également de comprendre pourquoi un patron arabe, vivant dans un appartement moderne, peut réserver à son domestique une misérable cellule (1,50 mètre × 3 mètres × 1,20 mètre) suspendue au plafond (pour préserver la surface au sol) et munie par surcroît d'une ouverture qui permet de le surveiller.

Comme on peut le supposer, une conception aussi particulière du moi ne peut manquer de se refléter dans la langue. J'en pris conscience le jour où un collègue arabe, auteur d'un dictionnaire arabe-anglais, entra dans mon bureau pour s'effondrer dans un fauteuil, donnant tous les signes du complet épuisement. Comme je lui demandais ce qui lui était arrivé, il me répondit : « J'ai passé l'après-midi entier à chercher l'équivalent arabe du mot anglais *rape* (viol). La langue arabe ne possède pas de mot semblable. Aucune de mes sources, écrites ou orales, ne m'apporte mieux qu'une approximation du type : « il la prit contre sa volonté ». Aucun terme arabe n'approche de la signification exprimée par votre langue dans ce seul mot. »

Il n'est pas facile de saisir qu'il existe des conceptions différentes concernant la localisation du moi par rapport au corps. Mais une fois cette idée admise, beaucoup d'autres facettes de la vie arabe s'éclairent. Par exemple, l'extrême densité de la population dans les villes comme Le Caire, Beyrouth et Damas. Les études de psychologie animale, évoquées dans nos premiers chapitres, laisseraient supposer que les Arabes vivent dans un état perpétuel de surpopulation pathologique. Ils souffrent vraisemblablement de la tension due au surnombre, mais il est également plausible qu'à la longue la tension exercée par le désert ait eu pour effet une adaptation culturelle aux fortes densités démographiques. Cet enfouissement du moi dans la profondeur du corps ne rend pas seulement compte des fortes densités démographiques, mais explique peut-être pourquoi la communication s'effectue sur un mode tellement plus intense chez les Arabes que chez les Européens du Nord. Non seulement le niveau du bruit y est beaucoup plus élevé, mais le regard perçant des Arabes, l'usage qu'ils font de leurs mains, et le contact chaud et humide de leur haleine dans la conversation représentent une contribution sensorielle dont beaucoup d'Européens ne supportent pas l'intensité.

Les Arabes rêvent de maisons spacieuses, mais rares sont ceux qui ont les moyens de réaliser ce désir. Pourtant, même quand ils ont de l'espace, ils l'organisent très différemment de celui des maisons américaines. Dans les demeures arabes de la classe moyenne supérieure, les espaces sont immenses par rapport à nos propres normes. **Les Arabes évitent les cloisonnements car *ils n'aiment pas être seuls*.** La structure de la demeure arabe est celle d'une unique coquille protectrice destinée à réunir l'ensemble de la famille dont les membres sont intimement liés. Leurs personnalités fusionnent et se nourrissent les unes des autres comme des racines dans le sol. On est privé de vie si on ne se trouve pas avec d'autres êtres et intensément lié à eux, ce que traduit un vieil aphorisme arabe : « Gardez-vous d'entrer dans un paradis sans habitants car c'est l'enfer. » Voilà pourquoi aux Etats-Unis, les Arabes se sentent souvent frustrés socialement et sensoriellement et aspirent à retrouver la chaleur humaine et les contacts physiques de leur milieu.

L'absence de toute possibilité d'isolement physique au sein de la famille, l'absence même d'un mot pour désigner cette notion, laisserait supposer que les Arabes disposent d'autres moyens pour s'isoler. Leur façon de s'isoler consiste simplement à cesser de parler. Tout comme l'Anglais, l'Arabe qui se sépare ainsi des autres n'indique nullement par là réserve ou mécontentement ; il manifeste simplement son désir de ne pas être dérangé et de rester seul avec ses pensées. Un de mes sujets rapporte que son père pouvait parfois aller et venir des jours entiers sans adresser la parole à quiconque, et que personne dans la famille n'y prêtait attention. C'est pour la même raison qu'un étudiant arabe placé par échange dans une ferme du Kansas ne sut pas comprendre, au moment où ses hôtes lui infligèrent le « traitement du silence », que c'était par fureur contre lui. Il ne le comprit que lorsque ceux-ci l'emmenèrent en ville et le mirent de force dans le car pour Washington, où se trouvait le siège de l'organisation d'échanges, responsable de sa présence aux Etats-Unis.

La distance personnelle chez les Arabes.

Conformément à la règle générale, les Arabes sont incapables de formuler les règles spécifiques qui régissent leurs comportements « informels ». Ils nient même souvent l'existence de ces règles dont la simple idée les remplit d'inquiétude. C'est pourquoi, lorsque je voulus déterminer le mode d'organisation des distances arabes, je dus m'attaquer à chaque sens séparément. Peu à peu, je vis apparaître des structures précises et tout à fait originales.

L'olfaction occupe une place particulièrement importante dans la vie arabe. Elle ne joue pas seulement un rôle dans la structuration des diverses distances mais est également un rouage vital dans le système complexe de leur comportement. Ainsi, dans la conversation, les Arabes vous tiennent toujours dans le champ de leur haleine. Cette habitude ne tient pas seulement à une question de manières. L'Arabe aime les odeurs agréables, et elles sont partie intégrante de ses contacts avec les autres. Respirer l'odeur d'un ami est non seulement agréable mais désirable, car refuser de laisser respirer son haleine est un signe de honte. En revanche, la politesse des Américains, qui ont appris à ne pas laisser percevoir leur haleine, est immédiatement interprétée en termes de honte. Qui soupçonnerait nos plus éminents diplomates de pareils contresens ? C'est pourtant là leur lot puisque aussi bien la diplomatie concerne finalement l'affrontement des haleines autant que celui des regards.

L'importance qu'ils accordent à l'olfaction ne conduit pas pour autant les Arabes à l'élimination des odeurs corporelles. Il s'agit au contraire, pour eux, d'en tirer le plus grand parti possible dans la constitution des rapports humains. Le cas échéant, ils n'éprouvent aucune gêne à faire savoir aux autres qu'ils n'aiment pas leur odeur. Tel oncle dira fort bien à son neveu : « Habib, tu as des aigreurs d'estomac et ton haleine est mauvaise ce matin. Evite donc aujourd'hui de parler aux gens de trop près. » L'odeur est un facteur qui entre même en ligne de compte dans le choix d'un conjoint. Au cours des investigations préliminaires au mariage, l'entremetteur du futur mari pourra demander à sentir l'épouse putative et éventuellement la refuser si « elle ne sent pas bon ». Pour les Arabes, l'odeur et le caractère sont liés.

En un mot, les limites olfactives jouent deux rôles dans la vie des Arabes, rapprochant ceux qui désirent des contacts et séparant les autres. Pour l'Arabe, il est essentiel de demeurer dans la zone olfactive d'autrui pour pouvoir détecter les changements affectifs. Davantage, il pourra se sentir à l'étroit dès qu'il percevra des odeurs déplaisantes. Bien que l' « effet de surpeuplement olfactogène » soit encore peu connu, il peut néanmoins, à l'avenir, se révéler un facteur important du complexe d'entassement. N'est-il pas en effet directement lié à la biochimie humaine, à l'état de santé et à l'affectivité ? (Le lecteur se rappellera que c'est l'olfaction qui, dans l'effet de Bruce, provoque chez la souris l'arrêt de la gestation.) Il n'est donc pas étonnant que dans la structuration des distances, les mécanismes olfactifs jouent chez les Arabes un rôle homologue à celui des mécanismes visuels chez les Européens.

Le regard de l'interlocuteur.

L'une de mes premières découvertes dans le domaine des relations interculturelles fut que la position du corps dans la conversation varie selon la culture. Pourtant, je n'en demeurais pas moins surpris qu'un de mes amis arabes ne parvînt apparemment pas à marcher et à parler en même temps. Malgré des années de résidence aux U.S.A., il ne réussissait pas à se promener normalement en bavardant. Il troublait le cours de nos promenades en me devançant pour se retourner et me faire face. Alors, il s'arrêtait. Je compris ce manège quand je sus que pour les Arabes regarder autrui latéralement est considéré comme une impolitesse, et que tourner le dos est très grossier. Chez les Arabes, toutes les relations amicales impliquent une participation directe.

Les Américains commettent souvent l'erreur de croire que les Arabes parlent toujours de très près à leur interlocuteur. Il n'en est rien. Ainsi dans certaines réunions formelles ils s'assiéront aux deux extrémités d'une pièce et se parleront à cette distance. Mais ils se formalisent facilement de l'emploi, par les Américains, de distances qu'ils trouvent ambiguës, telle la distance sociale de conversation (de 1,20 mètre à 2,10 mètres). Ils se plaignent souvent de la froideur, de la désinvolture ou de l'indifférence des Américains. Telle était la réaction d'un respectable diplomate arabe à l'égard des infirmières qui, dans un hôpital américain, pratiquaient la distance « professionnelle ». Il avait le sentiment d'être ignoré et peut-être même mal soigné. Un autre sujet arabe se demandait à propos du comportement américain : « Qu'y a-t-il ? Est-ce que je sens mauvais ? Ou bien leur fais-je peur ? »

Dans leurs contacts avec les Américains, les Arabes déclarent qu'ils ressentent souvent de leur part une sorte d'indifférence due sans doute, en partie, à une manière différente de regarder les gens en public et dans le privé, et de traiter les amis par rapport aux étrangers. Alors qu'il est considéré comme impoli de la part d'un invité de se promener dans une maison arabe en regardant les objets qui s'y trouvent, les Arabes se regardent entre eux d'une façon qui, pour un Américain, semble hostile ou provocante. Un informateur arabe me disait qu'il était en difficulté permanente avec les Américains à cause de la façon dont il les regardait, pourtant dépourvue de toute intention hostile. En fait, c'est seulement de justesse qu'à plusieurs reprises il avait évité de se colleter avec des Américains qui avaient visiblement été offensés dans leur virilité par l'insistance de son regard. Comme nous le faisions remarquer plus haut, les Arabes, lorsqu'ils se parlent, se fixent avec une intensité qui embarrasse beaucoup la plupart des Américains.

L'engagement dans les rapports humains.

Comme le lecteur l'aura compris, les Arabes ont entre eux des rapports qui se situent simultanément à plusieurs niveaux. L'idée de pouvoir s'isoler en public leur est totalement étrangère. Ainsi dans les souks, par exemple, les affaires ne se traitent pas seulement entre l'acheteur et le vendeur, tout le monde y participe. Toute personne présente peut prendre part à la discussion. Si un adulte surprend un enfant en train de briser une vitre, son devoir est de l'arrêter, même s'il ne le connaît pas. Ce type de participation et d'engagement trouve d'autres illustrations. Ainsi, lorsque deux hommes se battent, les assistants sont tenus d'intervenir. Sur le plan politique, *le fait de ne pas intervenir* dans une situation critique est interprété comme une prise de position (par exemple dans le cas permanent de notre Département d'Etat). Etant donné que dans le monde actuel la plupart des gens ne soupçonnent même pas l'existence de ces moules culturels qui déterminent leurs pensées, il est normal que les Arabes jugent *notre* comportement d'après les structures inconscientes du *leur*.

Sentiments à l'égard des espaces intérieurs.

Au cours des entretiens que j'ai eus avec des Arabes, j'ai été frappé par l'emploi fréquent qu'ils faisaient du mot « tombe » à propos des espaces clos. En un mot, les Arabes ne sont pas gênés d'être entourés par la foule, mais détestent être cernés par des murs. Ils sont beaucoup plus sensibles que nous à l'impression d'entassement dans les espaces intérieurs. A ma connaissance, un espace clos doit posséder au moins trois qualités pour pouvoir satisfaire un Arabe : l'ampleur d'abord et le dégagement (pouvant aller jusqu'à 100 m²) ; de hauts plafonds ensuite, qui n'obstruent pas le champ visuel ; et enfin une vue dégagée. Ce sont là précisément les caractérisques des espaces où nous avons vu que les Américains se sentent mal à l'aise. Le besoin d'une vue se traduit même sur le mode négatif, car obstruer la vue d'un voisin est le moyen le plus sûr de lui exprimer son mépris. Ainsi, on peut voir à Beyrouth ce que l'on appelle là-bas « la maison du mépris ». Il ne s'agit de rien d'autre qu'un épais mur de quatre étages de haut qui fut construit au terme d'une longue querelle entre voisins, dans le seul propos de priver de la vue de la Méditerranée toutes les maisons situées derrière lui, sur une étroite bande de terre. D'après l'un de mes informateurs, on peut également voir sur la route qui va de Beyrouth à Damas, une petite maison complètement cernée par de hauts murs, qu'un voisin a construits pour lui boucher la vue de tous les côtés.

La notion de frontière.

Les structures proxémiques aident à découvrir beaucoup d'autres aspects de la culture arabe. Par exemple, il est pratiquement impossible de donner une définition abstraite de la notion de frontière ou de limite. Dans un certain sens, il n'y a pas de frontières dans le monde arabe. Il y a ce qu'on appelle les « abords » d'une ville, mais des limites permanentes, sous forme de lignes invisibles, n'existent pas. Dans mon travail avec les Arabes, j'ai eu beaucoup de difficulté pour traduire notre notion de frontière en des termes qui leur fussent intelligibles. Pour mieux définir la différence de nos deux points de vue culturels en la matière, j'imaginai de dresser un inventaire des empiétements de frontière. Mais je ne suis pas encore arrivé à découvrir chez les Arabes une notion qui ressemble même de loin à notre propre concept d'empiétement.

Le comportement des Arabes vis-à-vis de la propriété foncière est en quelque sorte une conséquence du rapport qu'ils entretiennent avec leur corps. Chaque fois qu'il s'agissait d'empiétement, mes sujets se trouvaient dans l'incapacité de répondre. Ils semblaient ne pas comprendre la signification de ce mot. Sans doute est-ce dû au fait qu'ils organisent leurs relations en termes de structures sociales closes plutôt qu'en termes d'espace. Pendant des millénaires, Musulmans, Maronites, Juifs et Druses ont vécu dans leurs propres villages dominés par les structures de la parenté. La hiérarchie des personnes à qui l'on doit fidélité s'établit de la façon suivante : d'abord le moi, puis les membres de la parenté, les habitants du village ou les membres de la tribu, les coreligionnaires et les concitoyens.

Qui n'appartient à aucune de ces catégories est un étranger. Dans la pensée arabe, étranger et ennemi sont des termes très voisins sinon synonymes. Dans ce contexte l'empiétement est plus lié à l'identité du transgresseur qu'à la parcelle de terre ou à l'espace dont les frontières peuvent être interdites à tout un chacun, ami ou ennemi.

En bref, nous nous trouvons devant des structures proxémiques très diverses. Leur analyse permet de détecter les cadres culturels cachés qui déterminent la structure du monde perceptif d'un peuple donné. Le fait de percevoir le monde de façon différente entraîne à son tour des différences dans la façon de définir les critères de l'entassement, de concevoir les relations interpersonnelles ou de mener la politique intérieure ou internationale. Il existe, en outre, de très grandes variations dans l'impact de la culture sur la participation des individus à l'existence des autres. Dans cette perspective les urbanistes devraient être conduits à concevoir des villes en fonction des structures proxémiques de leurs habitants. C'est pourquoi j'ai voulu consacrer les derniers chapitres de ce livre à l'analyse de la vie urbaine.

13

Villes et culture

L'afflux démographique dans toutes les villes du monde crée une série de cloaques de comportement plus meurtriers que la bombe à hydrogène. L'homme se trouve confronté à une réaction en chaîne et il ignore pratiquement la structure des atomes culturels qui la déclenchent. Dans la mesure où nous pouvons appliquer à l'humanité les connaissances que nous avons acquises concernant les animaux en milieu surpeuplé ou transférés dans un biotope étranger, nous sommes d'ores et déjà menacés par les dramatiques conséquences de l'entassement urbain. Les travaux de l'éthologie et de la proxémie comparée devraient nous mettre en garde contre les dangers qui nous guettent alors que nos populations rurales déferlent dans les centres urbains. Le problème de l'adaptation de ces masses ne se pose pas seulement en termes économiques, il concerne en fait *tout un style de vie*. Ces masses doivent faire face aux difficultés que leur posent des systèmes de communication inconnus, des espaces hostiles et tous les phénomènes pathologiques liés à un cloaque de comportement en plein développement.

Aux Etats-Unis, le Noir des classes inférieures pose au

niveau de son adaptation à la vie urbaine des problèmes très particuliers qui, s'ils ne sont pas résolus, pourraient bien détruire notre pays en en rendant les cités inhabitables. On méconnaît souvent le fait que les Noirs des classes inférieures et les Blancs appartenant aux classes moyennes ressortissent de cultures différentes. A bien des égards, la situation des Noirs américains est homologue à celle des Indiens américains. Ces groupes minoritaires se distinguent de la société dominante par des différences culturelles fondamentales concernant les notions et valeurs de base, comme la structure et le maniement de l'espace, du temps et de la matière, qui toutes sont acquises au début de la vie. Certains orateurs noirs sont allés jusqu'à affirmer qu'aucun Blanc ne pouvait comprendre les Noirs. Ils ont sans doute raison lorsqu'il s'agit de la culture noire des classes inférieures. Pourtant peu de gens parviennent à comprendre que des différences culturelles, comme celles dont souffrent les Noirs, sont certes exacerbées par les préjugés, mais n'ont originellement rien à voir avec la nature du préjugé. Elles sont inhérentes à la condition humaine et aussi vieilles que l'homme.

Il faut souligner qu'aujourd'hui les principales villes américaines mettent en contact les populations appartenant à des cultures différentes en leur imposant des concentrations démographiques dangereusement élevées qui conduisent à évoquer certains travaux du pathologiste Charles Southwick. En effet, Southwick a découvert que les souris *peromyscus* supportent de très fortes densités démographiques dans leur cage à condition qu'on n'y introduise pas de souris d'une espèce étrangère. Dans le cas contraire, on observe non seulement une augmentation significative de la combativité, mais une augmentation du poids des glandes surrénales et la montée du taux d'éosinophiles dans le sang (deux symptômes caractéristiques des états de *stress*). Même si l'on réussissait à abolir la discrimination et tous les préjugés contre les Noirs, si on parvenait à effacer le souvenir d'un passé honteux, le Noir des classes inférieures devra toujours dans des cités américaines affronter un ensemble de condi-

tions particulièrement *stressantes* : le cloaque comportemental (la « jungle » en langage populaire), les différences
culturelles profondes qui les séparent de la classe moyenne
dominante des Blancs et enfin le biotope totalement étranger
où il leur faut vivre.

Les sociologues Glazer et Moynihan ont montré clairement
dans leur remarquable *Beyond the Melting Pot* qu'il n'existe
en fait aucun *melting pot* dans les villes américaines.
Leur étude est centrée sur New York, mais leurs conclusions
sont applicables à un grand nombre d'autres villes. Il semble en effet que les principaux groupes ethniques établis
dans les villes américaines maintiennent leurs particularités
respectives pendant plusieurs générations. Pourtant, nos
programmes de logement ou d'aménagement urbain tiennent rarement compte de ces différences ethniques.

Pendant la rédaction même de ce chapitre, je fus appelé
en consultation par un organisme de planification urbaine
qui s'attaquait au problème de la vie urbaine en 1980. Le
plan qui me fut soumis faisait totalement abstraction de
toute différence de classe ou d'ethnie dans l'horizon de la
date prévue. Or, rien dans le passé de l'homme ne porte à
croire que ces différences auront disparu en l'espace d'une
génération.

LA NÉCESSITÉ DES ÉLÉMENTS DE CONTROLE

Selon Lewis Mumford, le code d'Hammourabi est né de la
nécessité de combattre l'anarchie des populations qui
affluaient dans les villes de Mésopotamie. Depuis lors, l'histoire des rapports de l'homme et de la cité n'a cessé d'illustrer cette nécessité de remplacer la coutume tribale par un
système juridique. Une législation urbaine et des organismes
chargés de son élaboration permanente existent dans tous
les pays du monde, mais ces derniers sont débordés par
leur tâche. A cet égard, on notera que jusqu'à présent il a
été insuffisamment fait appel au rôle que pourraient jouer
à la fois la coutume et l'opinion publique dans les enclaves

ethniques où leur puissance demeure considérable. Ces enclaves remplissent une série de fonctions dont l'une des plus importantes consiste à servir de centre d'accueil à vie pour des populations dont la seconde génération pourra y apprendre comment passer à un mode de vie urbain. Mais le problème essentiel actuellement soulevé par ces enclaves tient à leur localisation qui en limite les dimensions. Quand le nombre des arrivants croît à un taux qui excède les possibilités de conversion des migrants ruraux en citadins (qui précisément sont en mesure de quitter l'enclave), il ne reste que deux solutions : l'expansion territoriale ou la surpopulation.

Dans le cas où il n'est possible ni d'agrandir l'enclave ni d'y maintenir une densité démographique normale (les normes variant avec chaque groupe ethnique) un cloaque comportemental se développe qui échappe à l'emprise des mesures législatives. On l'a vu en particulier à New York dans le cas des populations noires et porto-ricaines. D'après un rapport de *Time,* en 1964, 230 000 personnes étaient entassées à Harlem sur une surface de 9 kilomètres carrés. Si l'on ne veut pas laisser le cloaque comportemental détruire la ville, il existe bien une solution : elle consiste à *utiliser des artifices architectoniques pour contrecarrer les effets désastreux du cloaque sans toutefois détruire l'enclave du même coup.*

Chez les populations animales la solution est fort simple et évoque de façon terrifiante nos programmes de rénovation urbaine et la prolifération de nos banlieues. Si l'on veut accroître la densité d'une population de rats tout en gardant les animaux en bonne condition physique, il suffit de les placer dans des boîtes séparées, de façon qu'ils ne puissent pas se voir, de nettoyer leurs cages et de leur donner suffisamment à manger. On peut alors empiler indéfiniment les boîtes. Malheureusement les animaux ainsi enfermés deviennent stupides et ce système de super-remplissage est payé d'un prix redoutable. La question qui se pose est donc de savoir jusqu'à quel niveau de frustration sensorielle on est autorisé à descendre pour « caser » les humains. Nous avons aujourd'hui un besoin désespéré de principes directeurs pour la conception d'espaces susceptibles de maintenir une densité démographique satisfaisante, et d'assurer aux habitants un taux de contacts et un niveau de participation convenables ainsi que le sentiment permanent de leur identité ethnique. L'élaboration d'un tel *corpus* de principes exigera la collaboration étroite d'un grand nombre de spécialistes travaillant sur une vaste échelle.

Telles furent les conclusions du II⁰ Congrès de Délos en 1964. Organisés par l'architecte-urbaniste grec C.A. Doxiadis, les Congrès de Délos réunissent chaque année un grand nombre d'experts du monde entier qui prêtent le concours de leur savoir et de leur compétence à l'étude de ce que Doxiadis appelle l'ékistique (ou étude des modes d'établissement humains). On peut résumer en cinq points les conclusions du Congrès de 1964. Premièrement, les programmes des villes nouvelles élaborés en Angleterre et en Israël reposent sur des bases inadéquates, vieilles d'un siècle. En particulier, ces villes sont trop petites, et même les dimensions plus importantes, actuellement proposées par les urbanistes anglais se fondent sur des recherches extrêmement limitées. Deuxièmement, bien que le public soit soucieux de la situation dramatique créée par la croissance indéfinie des mégalopoles, rien n'est entrepris pour la stopper. Troisièmement, l'effet conjugué de la double multiplication des automobiles et de la population crée un véritable chaos urbain au sein duquel n'apparaissent pas de mécanismes auto-régulateurs. Ou bien les voitures se lancent à l'assaut du centre de la ville (provoquant son étouffement comme à Londres ou à New York), ou bien la ville cède le pas à l'automobile pour disparaître sous un labyrinthe d'autoroutes comme à Los Angeles. Quatrièmement, du point de vue du développement économique mondial, peu de projets stimuleraient un aussi vaste éventail d'activités de services et de techniques que la reconstruction des villes à travers le monde. Cinquièmemement, il faut non seulement coordonner et soutenir les projets, l'enseignement et la recherche ékistique, mais tous les gouvernements devraient la déclarer prioritaire.

Pour résoudre des problèmes urbains d'une telle enver-
gure, outre les spécialistes traditionnels — urbanistes, architectes, ingénieurs de toutes sortes, administrateurs techni-
ciens de la circulation et des transports, enseignants, juristes,
assistantes sociales et spécialistes d'économie politique —
nous avons aussi besoin d'experts d'un genre nouveau. Psychologues, anthropologues et ethnologues font très rarement
partie, comme il le faudrait, des commissions d'urbanisme
en tant que membres permanents. Le caprice doit cesser de
gouverner l'octroi ou la suppression des budgets de recherche. Les urbanistes ne devraient plus continuer d'assister
impuissants — et sous de fallacieux prétextes politiques ou
pratiques — à l'avortement ou la mise au rencart de projets
satisfaisants. Il serait également souhaitable de ne pas dissocier planification urbaine et rénovation, la seconde étant
partie intégrante de la première. Prenons le cas des logements pour les classes à faible revenu construits par les
offices publics de Chicago. En fait, on a tenté de camoufler
les problèmes au lieu de les résoudre. Il ne faut pas oublier
que les populations à faible revenu qui affluent à Chicago et
dans de nombreuses autres villes américaines sont en majeure partie noires et viennent des régions rurales ou des
petites villes du Sud. Pour la plupart, ces gens n'ont aucune
tradition ou expérience de la vie urbaine. A l'instar des
Porto-Ricains ou des Blancs des Appalaches, la plupart des
Noirs souffrent aussi d'une formation totalement inadéquate
en ce qui concerne l'« habiter ». Certes, les nouveaux immeubles élevés qui se succèdent, identiques, sont moins dépri-
mants à regarder que les taudis qu'ils ont remplacés, mais
ils sont en revanche beaucoup plus perturbants lorsqu'il
s'agit d'y vivre. Les Noirs se sont montrés particulièrement
nets dans leur condamnation des immeubles à appartements
en hauteur. Ceux-ci représentent seulement pour eux la
domination blanche, une sorte de monument élevé à l'échec

des rapports ethniques. Ils se moquent de la manière dont le Blanc empile maintenant les Noirs les uns au-dessus des autres dans ces constructions en hauteur. L'immeuble élevé leur semble impropre à satisfaire la plupart des besoins humains de base. Comme me le disait un locataire : « Ce n'est pas un endroit où élever une famille. Une mère ne peut pas surveiller ses enfants quand ils sont sur un terrain de jeu quinze étages plus bas. Les petits se font rosser par les plus forts, les ascenseurs sont dangereux et remplis d'ordures (les locataires les utilisent comme cabinets en manière de protestation contre les immeubles), ils sont lents et tombent en panne. Lorsque je veux rentrer à la maison, j'y réfléchis à deux fois car il peut arriver d'attendre l'ascenseur pendant une demi-heure. Avez-vous déjà monté quinze étages à pied quand l'ascenseur est en panne ? Ce n'est pas un genre d'exercice que l'on aime pratiquer très souvent... »

Heureusement quelques architectes commencent à concevoir de nouveaux ensembles constitués de bâtiments à deux, trois ou quatre étages et prenant en considération le besoin humain de sécurité. On dispose néanmoins de très peu d'informations concernant le type d'espaces convenant le mieux à la population noire. Ma propre expérience remonte à la Deuxième Guerre mondiale pendant laquelle je servis dans un régiment noir du génie. Notre régiment, réuni au Texas, participa aux cinq campagnes d'Europe. Pourtant, c'est seulement en arrivant aux Philippines que les hommes trouvèrent une « échelle » de vie qui leur convenait. Ils s'adaptaient fort bien à la société philippine et à une économie où tout un chacun pouvait se mettre à son compte dans une échoppe de bambou à peine grande comme deux cabines téléphoniques. Le marché en plein air avec toute son activité semble mieux convenir aux exigences proxémiques des Noirs que la cohue des magasins américains, fermés par des murs et des fenêtres. En d'autres termes, je pense que l'*échelle* finira bien par s'imposer comme un facteur clef dans la planification des villes, des unités de voisinage et des ensembles d'habitation. Surtout l'échelle urbaine doit, à chaque fois, correspondre à l'échelle ethnique, puisque chaque groupe ethnique semble avoir élaboré son propre système d'échelle.

On notera en outre l'incidence des différences de classes dont le psychologue Marc Fried et les sociologues Herbert Gans, Peggy Gleicher et Chester Hartman ont souligné les retentissements dans une série de publications importantes consacrées au « West End » de Boston. Les plans de suppression des taudis et de rénovation urbaine de Boston avaient omis de tenir compte du fait que les quartiers occupés par la classe ouvrière étaient très différents de ceux occupés par les classes moyennes. Les résidents du « West End » vivaient en contact permanent les uns avec les autres ; les halls des maisons, les magasins, les églises et même les rues jouaient pour eux un rôle essentiel dans la participation à la vie de la collectivité. Comme le souligne Hartman, en calculant la densité démographique du « West End », on s'apercevait que les habitants disposaient en réalité d'un espace vital plusieurs fois supérieur à celui qu'indiquaient les critères d'évaluation de la classe moyenne, fondés sur la seule cellule d'habitation. Gans a également mentionné le problème du « village urbain » (sa propre expression). Le « West End » de Boston servait en fait à transformer les villageois immigrants en citadins, dans un processus étalé sur trois générations. A partir du moment où un rajeunissement du quartier était nécessaire, mieux aurait valu une rénovation que sa destruction complète qui n'atteignait pas seulement les bâtiments mais aussi les structures sociales. En effet, lorsque la restructuration urbaine les contraignit à emménager dans des espaces plus modernes mais moins bien intégrés, un nombre important d'Italiens furent atteints de dépression et la vie perdit apparemment pour eux une part de son attrait. Leur monde avait été mis en pièces, sans arrière-pensée ni dessein de leur nuire, mais avec les meilleures intentions du monde, car, comme le dit Fried : « Le chez-soi n'est pas seulement un appartement ou un pavillon mais un territoire où sont vécues certaines des expériences les plus signifiantes de l'existence. » L'attachement des habitants du « West End » à l'égard de leur village urbain tenait en particulier à son échelle. Pour eux la « rue » était à la fois familière et intime.

Bien que nous ne disposions guère encore d'informations concernant l'échelle des espaces destinés à l'homme, celle-ci représente néanmoins à mes yeux un aspect des besoins humains fondamentaux que nous devrons bien finir par comprendre puisqu'elle intervient directement dans la détermination des normes de densité démographique. L'établissement de ces normes pour les populations urbaines est rendu encore plus délicat du fait que nous ne possédons pas les règles de base qui permettraient de déterminer les dimensions *normales* de la cellule d'habitation familiale. Il semble qu'au cours des dernières années, la dimension des espaces d'habitation ait été subrepticement et inexorablement réduite sous l'effet de pressions économiques et après avoir été tout juste suffisante soit devenue parfaitement insuffisante. Non seulement les économiquement faibles, mais aussi les personnes aisées sont aujourd'hui brimées par les constructeurs d'immeubles spéculatifs qui rognent les centimètres pour réduire les coûts et augmenter les profits. Ainsi un appartement à la limite de l'habitabilité se révélera inhabitable au moment précis où une tour à appartements viendra priver ses habitants de toute vue.

PATHOLOGIE ET SURPOPULATION

Tout comme dans le cancer dû au tabac, les effets cumulatifs de la surpopulation ne se manifestent pas en général avant que le mal soit accompli. En ce qui concerne les incidences de la vie urbaine sur l'homme, nous sommes, à ce jour, surtout familiarisés avec la criminalité, les naissances illégitimes, la carence éducative et la pathologie physique. En fait, il est vital que ce secteur de la recherche reçoive un développement considérable. Beaucoup de travaux existants prendront leur sens lorsque le lien de cause à effet entre l'entassement urbain et la pathologie humaine aura été admis, mais il n'existe aujourd'hui à ma connaissance

qu'une seule étude qui s'attaque directement aux conséquences du manque d'espace. On la doit à P. et M.-J. Chombard de Lauwe, qui ont su allier les deux disciplines de la
psychologie et de la sociologie. Ils ont pratiquement publié
les premières données statistiques concernant les conséquences du surpeuplement dans les logements urbains. Avec
un souci d'exhaustivité typiquement français, ils ont réuni
les données chiffrables concernant tous les aspects imagi-
nables de la vie familiale de l'ouvrier français. Ils avaient
commencé par chiffrer le surpeuplement en termes d'habitants par cellule d'habitation. Cet indice se révélant peu
éclairant, ils décidèrent d'en utiliser un autre qui était *le*
nombre de mètres carrés disponibles par personne et par
logement. Ce nouvel indice devait leur permettre d'établir
des corrélations stupéfiantes : ainsi dès que l'espace disponible par personne devenait inférieur à 8 ou 10 mètres carrés, le nombre des cas pathologiques (physiques et sociaux)
doublait ! La maladie, la criminalité et le surpeuplement
apparaissaient indiscutablement liés. Au-delà de 14 mètres
carrés par personne, les incidences pathologiques des deux
types augmentaient également, mais de manière moins marquée. La seule façon dont P. et M.-J. Chombard de Lauwe
purent expliquer cette seconde constatation, consista à invo-
quer un dynamisme social qui aurait conduit les familles
du deuxième groupe à se consacrer à leur propre réussite
plutôt qu'à leurs enfants. Mais ces conclusions appellent
des réserves. L'espace optimum de 10 à 14 mètres carrés ne
possède aucune valeur universelle. Ce chiffre ne vaut que
pour une fraction très limitée de la population française,
à un moment défini du temps. Rien ne prouve qu'il soit
valable chez aucune autre population. Le problème de la
détermination du seuil de surpeuplement chez les divers
groupes ethniques nous renvoie aux chapitres concernant les
usages différentiels des divers sens.

La nature de l'engagement sensoriel dans les rapports
humains, comme la façon de manier le temps, permettent de
définir chez les différents peuples non seulement le seuil
de surpeuplement mais également les moyens de combattre

le mal. Ainsi les Noirs et les Porto-Ricains ont un besoin de contact beaucoup plus étroit que les habitants de la Nouvelle-Angleterre et les Américains d'origine allemande ou scandinave. Les peuples chez qui les rapports humains s'établissent sur le mode de la proximité ont apparemment besoin de densités démographiques plus élevées que ceux chez qui ces rapports sont plus distants, mais ils peuvent aussi avoir davantage besoin de protection ou d'isolement par rapport aux étrangers. Il est absolument nécessaire de poursuivre les recherches dans ce domaine afin de pouvoir déterminer de manière précise les densités maximale, minimale et optimale pour les différentes enclaves culturelles dont sont composées nos villes.

MONOCHRONIE ET POLYCHRONIE

Le maniement et la structuration du temps sont directement liés à la structuration de l'espace. Dans *The Silent Language* j'ai mis en évidence deux modes d'appréhension du temps, la monochronie et la polychronie. La monochronie caractérise les peuples à contacts distants qui compartimentent le temps, le divisent en fonction de la variété des tâches à accomplir et sont désorientés s'ils doivent exécuter trop de tâches simultanées. Les individus polychrones, sans doute à cause de l'intimité des contacts qu'ils entretiennent, ont au contraire tendance à mener plusieurs opérations à la fois, à la façon des jongleurs. C'est pourquoi les premiers trouvent plus facile de séparer leurs activités dans l'espace, et les seconds de les concentrer dans un seul lieu. Les rapports, difficiles, entre ces deux types de peuples seraient grandement facilités par une structuration adéquate de l'espace. Ainsi, les Nord-Européens monochrones tolèrent mal les interruptions continuelles des Sud-Européens polychrones dans leur travail car ils ont l'impression que de la sorte rien n'avance. De même, l'ordre n'ayant pas d'importance pour les Méridionaux, le client le plus entreprenant se fera servir le premier, même s'il est arrivé le dernier.

Si l'on veut réduire les effets du comportement polychrone, il faut réduire les possibilités de contacts, c'est-à-dire
mettre des barrières entre les activités. A l'inverse, des individus monochrones servant des clients polychrones devront
réduire ou éliminer les écrans de façon à laisser s'établir le
contact, et même le contact physique. Un exemple en est
donné par l'homme d'affaires yankee qui dans son rapport
avec la clientèle sud-américaine constate le rôle joué par le
sofa dans l'aboutissement des tractations et sa supériorité
sur les fauteuils individuels que sépare un bureau. Ce sont
des principes aussi élémentaires qu'il nous faudrait appliquer à la planification urbaine. Le Napolitain polychrone
dont l'engagement social est intense a construit et utilise
la Galeria Umberto où tout le monde peut se rencontrer. La
plaza espagnole et la *piazza* italienne se prêtent à la fois
aux contacts et à la polychronie, alors que les interminables
Main Streets, caractéristiques des Etats-Unis, reflètent à la
fois notre mode de structuration du temps et la distancia-
tion de notre rapport à autrui. Dans la mesure où nos grandes villes renferment aujourd'hui une proportion importante de ces deux types humains, les relations de ceux-ci
seraient sans doute améliorées si on leur offrait également
les deux types d'espaces pertinents.

Les urbanistes devraient sans doute faire un pas de plus
en créant des espaces plus particuliers, susceptibles de rendre les enclaves culturelles autonomes. Un double but serait
atteint : d'abord faciliter pour la ville et l'enclave, le processus qui à travers les générations transforme les paysans
en citadins ; ensuite renforcer les systèmes de contrôle social
qui s'opposent à l'anarchie. Dans l'état actuel des choses,
nous avons introduit l'anarchie dans nos enclaves en les
laissant devenir des cloaques comportementaux. Selon les
termes de Barbara Ward, il nous faut aujourd'hui trouver le
moyen de rendre le « ghetto » respectable, c'est-à-dire que
non seulement la vie n'y soit plus dangereuse, mais aussi
que les habitants puissent en sortir une fois que l'enclave
a rempli ses fonctions.

Dans le double processus de la planification de nos villes

nouvelles et de la rénovation des anciennes, nous aurions intérêt à renforcer le besoin que l'homme ressent toujours d'appartenir à un groupe social où, comme ce fut autrefois le cas, il soit connu, où il ait sa place et où les gens se sentent responsables les uns des autres. En dehors de l'enclave ethnique, les villes américaines d'aujourd'hui semblent être complètement sociofuges ; elles séparent les individus et les aliènent les uns par rapport aux autres. Les cas récents et scandaleux où des humains ont été battus et même assassinés sous les yeux de « voisins » qui ne prenaient même pas la peine de donner l'alerte, montrent assez le progrès de cette aliénation.

LE SYNDROME DE L'AUTOMOBILE

Comment en sommes-nous arrivés là ? On se doute bien que la structure et la disposition des constructions et des espaces ne sont pas seules en cause. Notons cependant qu'il existe, intégré dans notre culture, un objet technique qui a complètement modifié notre style de vie et dont nous dépendons si complètement et pour la satisfaction d'un si grand nombre de besoins que nous imaginons mal y jamais pouvoir renoncer : il s'agit naturellement de l'automobile. L'automobile, le plus grand consommateur d'espace personnel et public que l'homme ait jamais inventé. A Los Angeles, la ville de la voiture par excellence, Barbara Ward a découvert que 60 à 70 % de l'espace urbain (rues, parkings, autoroutes) est consacré aux voitures. L'automobile dévore les espaces qui pourraient servir au contact et à la rencontre, elle finit par tout grignoter depuis les parcs jusqu'aux trottoirs.

Mais ce syndrome présente d'autres conséquences, non dépourvues d'intérêt. Non seulement les gens ne désirent plus marcher, mais pour ceux qui effectivement le souhaiteraient, il n'est plus possible de trouver un *endroit* où marcher : du coup, non seulement les corps se détériorent, mais les contacts humains cessent. En se promenant, on apprend à se connaître, ne serait-ce que de vue. Les voitures produisent l'effet contraire sur les rapports humains. La malpropreté, le bruit, les vapeurs d'essence, l'encombrement des voitures garées et le « smog [1] » contribuent à rendre intolérable la situation du piéton dans les villes. La plupart des spécialistes s'accordent à reconnaître que la perte de tonicité musculaire et le ralentissement de la circulation sanguine, dus au manque d'exercice, constituent un terrain favorable pour le développement des troubles cardiaques.

Pourtant, il n'y a pas d'incompatibilité fondamentale entre l'homme et l'auto en milieu urbain. Il s'agit simplement d'imaginer des structures permettant de séparer les voitures des piétons comme l'a bien marqué Victor Gruen dans *The Heart of Our Cities*. Nous possédons déjà de nombreux exemples des types de solutions que peut en l'occurrence apporter l'imagination urbanistique.

Paris est une ville réputée pour le plaisir qu'on prend à s'y promener et dont on peut encore avec agrément respirer l'air, prendre le pouls, observer les habitants. Les trottoirs de l'avenue des Champs-Elysées engendrent ce sentiment merveilleux de sécurité associé à l'existence de trottoirs dont la dimension vous isole complètement de la circulation. Quant aux petites rues ou ruelles dont l'étroitesse n'est pas adaptée à la circulation des véhicules, non seulement elles sont une source de diversité dans le paysage urbain mais elles sont le témoignage permanent de l'appartenance de Paris aux piétons, de sa destination humaine. Venise est sans doute une des villes du monde les plus appréciées et sans doute universellement préférée à toute autre. Ses traits les plus frappants sont l'absence de trafic automobile, la variété des espaces, le charme des boutiques. La place San Marco, transformée en parc à voitures, n'est pas imaginable.

Bien différente de Paris ou Venise, Florence est également une ville stimulante pour le piéton. Au centre de la ville, entre le Ponte Vecchio et la Piazza della Signoria, par

1. Mot forgé à partir de *fog* (brouillard) et de *smoke* (fumée).

exemple, l'étroitesse des trottoirs permet le passage d'une seule personne à la fois, obligeant en cas de rencontre à descendre sur la chaussée ou à se toucher. L'automobile n'est pas adaptée à la structure de Florence et si les Florentins bannissaient le trafic automobile du centre de la ville, ils obtiendraient une extraordinaire transformation.

Non seulement la voiture coupe ses occupants du monde extérieur en les enfermant dans un cocon de métal et de verre, mais en fait elle émousse également la sensation du mouvement dans l'espace. La disparition de cette impression ne résulte pas seulement de l'isolation par rapport à la surface du sol et au bruit, mais elle a aussi une origine visuelle. Le conducteur lancé sur une autoroute se déplace *dans le flot de la circulation* et le détail de l'environnement immédiat est pour lui brouillé par la vitesse.

Le corps humain est fait pour se mouvoir à moins de 8 kilomètres à l'heure. Combien d'entre nous se rappellent la sensation visuelle intense que l'on éprouve à marcher dans la campagne pendant une semaine ou un mois ? L'allure de la marche permet de percevoir les arbres, les buissons, les feuilles et l'herbe, et même la surface des rochers et des pierres, les grains de sable, les fourmis, les chenilles comme les mouches et les moustiques, sans parler des oiseaux et des autres animaux qui vivent dans la nature. La vitesse de l'auto ne brouille pas seulement les images proches, elle altère profondément le rapport global avec le paysage. J'en acquis la certitude un jour que j'allais à cheval de la ville de Santa Fé jusqu'aux réserves d'Indiens du nord de l'Arizona. Je devais passer au nord du mont Taylor dont je connaissais bien la face sud pour l'avoir vue une cinquantaine de fois de la grande route d'Albuquerque à Gallup. Tandis que la voiture fonce vers l'ouest, la montagne semble tourner à mesure qu'apparaissent ses différentes faces. Tout le panorama se déroule en une ou deux heures pour s'achever sur les falaises rouges du Navajo, juste avant d'arriver à Gallup. Mais au rythme de la marche (qui est celui qu'on adopte pour parcourir de longues distances à cheval), la montagne ne semble ni bouger ni tourner devant les yeux.

Les espaces, les distances et le paysage tout entier prennent une signification plus intense. A mesure qu'augmente la vitesse, la participation sensorielle décroît progressivement jusqu'à disparaître complètement. Les voitures américaines actuelles empêchent toute expérience kinesthésique de l'espace. L'espace kinesthésique et l'espace visuel une fois dissociés ne peuvent donc plus se prêter mutuellement appui. L'élasticité des ressorts, des sièges et des pneus, la direction assistée et la lisse monotonie des routes, contribuent à une expérience irréelle de notre terre. Un constructeur de voitures a même été jusqu'à faire dessiner des affiches publicitaires qui montrent une automobile pleine de voyageurs ravis *flottant sur un nuage au-dessus de la route!*

La voiture isole l'homme de son environnement comme aussi des contacts sociaux. Elle ne permet que les types de rapport les plus élémentaires, qui mettent le plus souvent en jeu la compétition, l'agressivité et les instincts destructeurs. Si nous voulons retrouver le contact perdu à la fois avec les humains et avec la nature, il nous faudra trouver une solution radicale aux problèmes posés par l'automobile.

UNITÉS D'HABITATIONS COLLECTIVES

Outre l'automobile, de nombreux autres facteurs contribuent à l'asphyxie de nos centres urbains. Il est actuellement impossible de savoir si le mouvement des classes moyennes hors de la ville se renversera ni de nous faire une idée de notre avenir si cet exode n'était pas arrêté. Quelques points encourageants méritent cependant d'être notés. Tel est en particulier le cas de Marina City, cet ensemble de tours circulaires à appartements que Bertrand Goldberg a construites à Chicago. Ces tours occupent un bloc entier, au bas de la ville, en bordure du fleuve. Les appartements inférieurs s'élèvent le long d'une spirale qui apporte aux occupants des possibilités de parking en plein air et cependant en dehors de la rue. Marina City possède également d'autres services qui répondent aux besoins des citadins : bars, tavernes, un supermarché, un magasin de spiritueux, un théâtre, une patinoire, une banque, des « marinas » et même une galerie de peinture. Marina City est à l'abri des intempéries et dangers de la ville (on peut y vivre sans en sortir). L'occupation des appartements est relativement stable à cause de leur petite taille et de ce fait certains locataires en arrivent à se connaître et à éprouver le sentiment d'appartenance à une communauté. Le spectacle d'une ville, surtout de nuit, est un des principaux atouts urbains, mais bien peu y ont droit. Du point de vue visuel, la silhouette de Marina City est grandiose. De loin, ses tours ressemblent aux grands sapins des crêtes qui encadrent la baie de San Francisco ; les balcons des appartements stimulent la vision fovéale et incitent le spectateur à s'approcher, promettant des surprises à chaque angle. Un autre exemple encourageant d'architecture urbaine est dû à Chloethiel Smith, architecte à Washington. Toujours soucieuse du caractère humain de l'architecture, elle a réussi à apporter aux problèmes de la rénovation urbaine des solutions intéressantes sur le plan à la fois esthétique et humain. Elle a su, en particulier, rendre les autos aussi peu visibles que possible et les séparer des piétons.

Urbanistes et architectes devraient cultiver les expériences ou il leur est donné de pouvoir loger des communautés entières dans des unités radicalement neuves, aux services intégrés. En dehors de sa valeur esthétique, Marina City présente l'avantage d'offrir un espace intégré bien défini sans l'intervention désastreuse de couloirs. Ce type de bâtiment ne peut donner naissance à aucune extension, discrète ou tentaculaire. Son seul défaut est l'exiguïté des logements dont beaucoup de locataires m'ont confirmé le caractère contraignant. Au cœur de la cité, l'espace des logements doit être plus vaste et non moindre qu'ailleurs. La demeure doit en effet pouvoir être l'antidote des tensions occasionnées par la vie urbaine.

Dans la situation actuelle, les villes américaines qui se vident de leurs habitants tous les soirs et à chaque fin de semaine, représentent un gaspillage insensé d'espace. On

s'attendrait à mieux de la part des Américains qui se piquent
« d'efficacité ». La sub-urbanisation de nos villes se traduit
par le fait que leurs derniers résidents sont essentiellement
fournis par les classes défavorisées, parquées dans des
espaces surpeuplés, et les classes très riches auxquelles
viennent s'ajouter quelques survivants de la classe moyenne.
De ce fait, les cités sont particulièrement instables.

MANIFESTE POUR LA PLANIFICATION DE L'AVENIR

La ville existe sous des formes diverses depuis plus de
cinq mille ans, et il semble peu probable qu'on puisse jamais
lui trouver un substitut intégral. Sans aucun doute une
ville, en plus de tout ce qu'elle représente, est une expression
de la culture du peuple qui l'a créée, ainsi qu'un prolongement de la société destinée à remplir un réseau complexe
de fonctions, dont nous ne sommes d'ailleurs souvent pas
entièrement conscients. L'anthropologue ne s'attaque pas
sans crainte au problème de la ville car il connaît l'ignorance
profonde où nous sommes des données qui permettraient
d'élaborer des plans intelligents pour la ville de l'avenir.
Pourtant, faire des plans est une nécessité dans la mesure
où l'avenir nous rattrape déjà. On peut citer un certain
nombre de points qui seront à cet égard décisifs :

1. Il nous faudra découvrir des méthodes pertinentes pour
évaluer l'échelle humaine à travers toutes ses dimensions,
y compris les dimensions cachées de la culture. L'harmoni-
sation de l'échelle humaine et de l'échelle automobile pose
en particulier un problème aigu.

2. Nous devrons apprendre à faire de l'enclave ethnique
un usage constructif. L'homme tend à identifier sa propre
image avec celle de l'espace qu'il habite. Une partie de la
littérature populaire contemporaine consacrée à la recherche du soi reflète cette relation. Un effort considérable
devrait être entrepris pour découvrir et satisfaire les besoins
des Hispanos-Américains, des Noirs, et des autres groupes
ethniques minoritaires afin que les espaces qu'ils habitent

ne soient pas seulement conformes à leurs besoins mais contribuent à renforcer les éléments qui, au sein de leurs cultures respectives, fortifient et assurent le sentiment de l'identité personnelle et de la sécurité.

3. Il nous faudra préserver de vastes espaces libres dans les villes. Londres, Paris et Stockholm sont des modèles qui, convenablement interprétés, pourraient se révéler précieux pour les urbanistes américains. La destruction continuelle des espaces urbains libres est un des grands dangers qui menacent aujourd'hui les Etats-Unis et peut causer un dommage considérable à l'ensemble du pays, sinon même lui être fatal. Les problèmes de la vie à l'extérieur et du contact avec la nature sont encore compliqués par la criminalité et la violence associées à l'entassement urbain. Nos parcs et nos plages deviennent chaque jour plus dangereux. Il en résulte un sentiment accru d'étouffement pour les citadins qui se sentent privés de loisirs en plein air. En plus des aires urbaines de récréation et des ceintures vertes, il nous faudrait de toute urgence prévoir de vastes zones sauvages. Si cette mesure n'est pas prise dès maintenant, les conséquences seront catastrophiques pour les générations à venir.

4. Il nous faut sauver de la « bombe » de la rénovation urbaine les bâtiments et quartiers anciens possédant une valeur esthétique et demeurant inutilisables. Le neuf n'est pas nécessairement bon, ni l'ancien mauvais. Dans nos cités beaucoup de lieux — parfois quelques maisons seulement — méritent d'être conservés. Ils affirment la continuité du présent avec le passé et introduisent la diversité dans nos paysages urbains.

Dans cette brève énumération, je n'ai pas eu l'occasion de mentionner le pas accompli par les Anglais en matière de rénovation urbaine, à l'occasion du « London Plan » inauguré en 1943 par Sir Patrick Abercrombie et J.H. Foreshaw. En construisant leurs « villes nouvelles », les Anglais ont également prouvé qu'ils n'avaient pas peur de la planification radicale. De plus, en maintenant des barrières de nature intacte (ceintures vertes) entre les centres principaux, ils protègent les générations futures du danger de la mégalopole que nous voyons se former aux U.S.A. lorsque les villes se rencontrent et fusionnent. Les réalisations anglaises ne sont naturellement pas exemptes d'erreurs, mais, dans l'ensemble, leur exemple pourrait apprendre à nos municipalités la nécessité et la valeur d'une planification bien coordonnée et appliquée avec courage. Soulignons toutefois que les plans anglais ne peuvent servir de modèle qu'au niveau de la méthode et d'une politique générale, mais non au niveau de leur structure qui ne peut en aucun cas être applicable aux Etats-Unis : notre culture est trop différente de celle des Anglais.

Aucun plan n'est parfait, mais les plans sont cependant nécessaires pour éviter le chaos. Dans la mesure où l'environnement structure les rapports interindividuels, et aussi parce que les urbanistes ne peuvent être omni-prévoyants, des éléments importants manqueront dans leurs plans. Le retentissement au plan humain des erreurs commises dans la planification, ne sera réduit qu'à condition de lancer des programmes de recherche intégrés, dirigés par des équipes qualifiées et bénéficiant d'un financement sérieux. Ce genre de recherche n'est pas moins indispensable que le tableau de bord dans le poste de pilotage d'un avion.

14

Proxémie et avenir humain

Nous nous sommes attaché dans ce livre à montrer que pratiquement tout ce que l'homme est et fait est lié à l'expérience de l'espace. Notre sentiment de l'espace résulte de la synthèse de nombreuses données sensorielles, d'ordre visuel, auditif, kinesthésique, olfactif et thermique. Non seulement chaque sens constitue un système complexe (ainsi il existe douze modes d'appréhension visuelle de la profondeur), mais chacun d'entre eux est également modelé et structuré par la culture. On ne peut donc pas échapper au fait que des individus élevés au sein de cultures différentes vivent également dans des mondes sensoriels différents.

La structuration du monde perceptif n'est pas seulement fonction de la culture mais également de la nature des relations humaines, de l'activité et de l'affectivité. C'est pourquoi des individus issus de moules culturels différents peuvent souvent se tromper lorsqu'ils interprètent la conduite des autres à travers les réactions sociales de ceux-ci, leur type d'activité ou leurs émotions apparentes. D'où l'échec des contacts et de la communication.

C'est pourquoi l'étude de la culture au sens proxémique consiste à étudier l'usage que font les individus de leur appareil sensoriel selon leurs différents états affectifs, au cours d'activités ou de rapports humains variés, de même que dans des environnements divers. L'investigation d'un champ complexe et multi-dimensionnel comme celui de la proxémie déborde les possibilités d'une technique de recherche unique. La méthode utilisée devra donc être une fonction de l'aspect proxémique particulier envisagé à un moment déterminé. De façon générale je me suis, au cours de mes travaux, davantage attaché à la structure qu'au contenu, au « comment » qu'au « pourquoi ».

RAPPORTS ENTRE FORME ET FONCTION
CONTENU ET STRUCTURE

Les questions du genre « savons-nous prendre parce que nous avons des mains, ou bien avons-nous des mains parce que nous savons prendre ? » qui soulèvent le problème du rapport entre la fonction et la forme, me paraissent stériles. Le contenu même des cultures ne me préoccupe pas autant que certains de mes collègues, car l'expérience m'a prouvé qu'on en arrivait souvent à déformer les faits par souci exclusif des contenus. Cette tendance conduit aussi à méconnaître les situations où le contenu culturel a été fortement réduit. C'est le cas de la culture des Noirs américains, par exemple. Beaucoup de personnes pensent que ceux-ci ne possèdent pas de culture propre, simplement parce que le contenu explicite de celle-ci a été considérablement réduit. Pour les mêmes observateurs, l'Hispano-Américain du Nouveau-Mexique, qui parle anglais, vit dans une maison moderne, envoie ses enfants à l'école municipale et conduit une Buick possède la même culture que ses voisins anglo-américains. Il faut d'ailleurs reconnaître que ce type d'attitude est en train d'évoluer, comme en témoigne le livre de Glazer et de Moynihan, *Beyond the Melting Pot*. Mais mon pro-

pos est en fait plus subtil et difficile à saisir que ne le
laissent imaginer mes exemples empruntés à des groupes
qui se distinguent nettement les uns des autres dans certains
domaines (essentiellement celui de la vie privée) tandis
qu'ils apparaissent au contraire identiques dans d'autres
(vie publique), ou bien dont les contenus culturels très proches ont une structuration différente. Comme le lecteur
l'aura sans doute deviné, les structures proxémiques ne
constituent que l'un des modes de différenciation et l'un
des moyens d'identification des différents groupes culturels.

Dans mes recherches récentes, par exemple, je me suis
attaché à l'étude des formes non verbales de communication
entre les Noirs appartenant à la classe inférieure et les Blancs
appartenant aux couches inférieures de la classe moyenne.
On s'aperçoit que les différences dans le maniement du
temps sont une source constante de malentendus. En outre
la voix, les pieds, les mains, les yeux, le corps et l'espace
sont utilisés eux aussi de façon très différente : ce qui
explique comment, malgré leur compétence et leur volonté
d'aboutir, certains Noirs échouent à obtenir les emplois
qu'ils postulent. Ces échecs ne sont pas toujours imputables
aux seuls préjugés mais dus à des contresens réciproques
dans l'interprétation des comportements mutuels. Au cours
des observations que j'ai pu faire avec mes étudiants, nous
avons été frappés par la subtilité qui caractérise la communication chez les Noirs : c'est pourquoi les signes dont le
Noir se servira pour marquer l'intensité du désir qu'il
éprouve d'un emploi déterminé, pourront passer complètement inaperçus de l'interviewer blanc pour qui l'existence
d'une forte motivation constitue un critère important dans
le choix des postulants. En des temps comme ceux que nous
vivons, le danger qu'il y a à accorder trop d'importance aux
contenus est facilement démontrable. Le Noir sait parfaitement que son interlocuteur blanc ne le « déchiffre » pas.
Mais il ignore que s'il perçoit mieux que le Blanc les
nuances des rapports entre Blancs et Noirs, il commet
néanmoins, lui aussi, de nombreux contresens.

C'est parce que nous nous intéressons davantage aux

contenus qu'aux structures et aux formes que nous, Américains, avons tendance à sous-estimer l'importance de la culture dans la vie sociale. Nous tendons à méconnaître l'influence de la structure d'un édifice sur ses occupants, les conséquences du surpeuplement sur les Noirs, ou encore les difficultés que peuvent éprouver des individus sensoriellement formés par la culture noire dans leurs rapports avec les enseignants blancs et les méthodes pédagogiques des Blancs. *Mais le fait le plus important demeure que nous avons toujours refusé de reconnaître la présence de cultures différentes à l'intérieur de nos frontières nationales.* Les Noirs, les Indiens, Hispano-Américains et Porto-Ricains sont tous également traités comme s'ils étaient des Américains moyens d'origine nord-européenne, mais contestataires et sous-développés, et non pas comme ce qu'ils sont en réalité : les membres d'enclaves culturelles bien différenciées qui possèdent leurs propres systèmes de communication, leurs institutions et leurs valeurs propres. Notre préjugé « a-culturel » nous incline à croire que les différences entre les peuples ne sont que superficielles. Pour cette raison, non seulement nous nous privons de l'enrichissement que nous procurerait la connaissance des autres cultures, mais nous mettons longtemps à corriger nos erreurs lorsqu'elles donnent lieu à des problèmes. Au lieu de nous arrêter pour réfléchir, nous avons tendance à persévérer au contraire dans la direction initiale, quitte à en subir ensuite les conséquences désastreuses et imprévues. Davantage, notre souci du contenu des communications nous rend souvent sourds aux fonctions d'avertissement et de menace de la communication (voir chapitre i). L'échec de la communication prémonitoire provoque une participation émotionnelle qui franchit progressivement le seuil de la conscience pour l'occuper tout entière. Quand l'*ego* est profondément et consciemment impliqué dans une discussion, il devient très difficile de faire machine arrière. Au contraire, la faculté de déchiffrer correctement les processus prémonitoires permet d'enrayer le développement d'un conflit avant même que celui-ci n'éclate. Les combats mortels entre animaux se pro-

duisent précisément quand les séquences prémonitoires sont
court-circuitées : dans les cas de surpeuplement ou lorsque
la présence d'un animal étranger vient perturber l'équilibre
d'une situation.

LE PASSÉ BIOLOGIQUE DE L'HOMME

L'homme occidental s'est retranché de la nature et par
conséquent du reste du monde animal. Il aurait pu continuer
tranquillement d'ignorer la face animale de sa constitution,
n'eût été la gravité de l'explosion démographique durant les
vingt dernières années. Cet essor démographique, lié à la
migration en masse des populations rurales pauvres vers
les villes, crée une situation qui présente toutes les caractéristiques de celle décrite précédemment dans les cas de
sociétés animales qui s'effondrent à la suite d'une trop forte
poussée démographique. Dans les années trente et quarante,
les Américains redoutaient l'existence de cycles économiques : aujourd'hui ils devraient bien plutôt redouter l'existence de cycles démographiques. Beaucoup d'ethnologues
répugnent à admettre que leurs découvertes soient applicables à l'homme bien que les animaux *hyper-stressés* souffrent des mêmes troubles circulatoires et cardiaques que
les hommes et présentent également une moindre résistance
aux maladies. L'homme diffère essentiellement de l'animal
dans la mesure où il a développé ses prolongements et s'est
dressé lui-même à émousser et bloquer le fonctionnement de
ses propres sens afin de pouvoir faire tenir le plus grand
nombre d'habitants dans le moins d'espace possible. Ce
processus de blocage est certes un auxiliaire puissant, mais
le surpeuplement final peut toujours avoir des conséquences
létales. Le dernier exemple historique de surpeuplement
urbain étendu sur une durée significative remonte au Moyen
Age et à ses épidémies désastreuses.

William Langer, professeur d'histoire à Harvard, indique
dans son étude *The Black Death*, qu'entre 1348 et 1350, à la
suite d'un essor rapide, la population européenne se trouva

réduite d'un quart par la peste. Cette maladie, transmise par les puces aux rats puis à l'homme, était due au *bacillus pestis*. Les raisons qui mirent fin à la peste sont fort discutées. Bien que les rapports entre l'homme et cette maladie soient très complexes, il est intéressant de noter que la fin de la peste coïncida avec des transformations sociales et architecturales qui réduisirent sans doute considérablement la tension de la vie urbaine. Je songe en particulier aux transformations de la maison, notées par Philippe Ariès [1], qui contribuèrent à protéger et consolider la cellule familiale. Ces changements auxquels vinrent se joindre des conjonctures politiques plus stables contribuèrent beaucoup à diminuer le *stress* du surpeuplement urbain.

La comparaison avec les études animales permet de déceler chez l'homme la présence d'un servomécanisme endocrinien dont le fonctionnement serait comparable à celui du thermostat de nos maisons. La différence tient seulement à ce qu'au lieu de réguler la chaleur, le système de contrôle endocrinien régule la population. Les découvertes les plus significatives de l'éthologie expérimentale [2] concernent les conséquences psycho-physiologiques désastreuses de l'essor démographique dans la phase qui précède sa chute, ainsi que les avantages dont jouissent les animaux qui possèdent un territoire, un espace propre.

Certains des résultats récemment communiqués par les pathologistes H.L. Ratcliffe et R.L. Snyder du laboratoire Penrose (du zoo de Philadelphie) ne sont pas sans intérêt pour notre propos : leur étude des causes de la mortalité animale qui s'étend sur vingt-cinq ans et porte sur 16 000 mammifères et oiseaux prouve non seulement qu'un grand nombre d'espèces différentes sont traumatisées par le surpeuplement, mais encore qu'elles souffrent exactement des mêmes maladies que l'homme : tension artérielle élevée, maladies circulatoires et cardiaques (même quand les graisses sont presque éliminées du régime alimentaire). Les

1. Cf. chapitre IX.
2. Cf. chapitres II et III.

études animales nous enseignent aussi que le surpeuplement n'est ni bon ni mauvais en soi : en fait l'effondrement démographique résulte de la stimulation exagérée et des anomalies introduites dans les relations sociales à la suite de la transgression des distances personnelles. Cette perturbation des relations sociales (par excès ou défaut) peut être réduite grâce à des cloisonnements protecteurs qui permettent des concentrations démographiques beaucoup plus fortes. Cette protection est offerte dans nos villes par les appartements et les bâtiments eux-mêmes. Mais elle perd son efficacité à partir du moment où plusieurs individus sont parqués dans la même pièce. Un changement radical survient alors. Les murs cessent d'isoler et de protéger les habitants pour se transformer en éléments d'oppression.

En accomplissant son propre dressage, l'homme a considérablement réduit la distance de fuite de son état aborigène originel. Cette distance de fuite (à maintenir entre soi-même et l'ennemi) est une nécessité absolue en cas de densité démographique élevée et représente un des moyens fondamentaux et les plus efficaces d'adaptation au danger ; mais son fonctionnement exige un minimum d'espace. Un processus de dressage a permis à la plupart des animaux supérieurs, y compris l'homme, de supporter l'entassement dans une zone donnée à condition de s'y sentir en sécurité et aussi longtemps que leur agressivité est soumise à un contrôle efficace. Mais dès que des individus commencent à s'inspirer mutuellement de la crainte, ce sentiment fait resurgir la réaction de fuite et crée un besoin explosif d'espace. La peur survenant dans un milieu surpeuplé engendre inévitablement la panique.

L'incapacité à saisir l'importance et la profondeur du lien qui unit l'homme à son environnement a conduit dans le passé à des erreurs tragiques. Le psychologue Marc Fried et le sociologue Chester Hartman ont décrit le chagrin et le profond état dépressif qui se sont emparés des habitants du « West End » de Boston une fois relogés ailleurs après la destruction de leur village urbain conformément au programme de rénovation. Ce n'était pas tant la perte de leur ancien environnement qui les rendait si malheureux que celle de cet ensemble de rapports complexes — impliquant à la fois bâtiments, rues et personnes —, qui constituait un véritable style de vie. En fait, leur univers avait été détruit.

QUESTIONS EN SUSPENS

Pour tenter de résoudre les problèmes urbains nombreux et complexes auxquels se heurtent aujourd'hui les Etats-Unis, il faut commencer par mettre en question nos idées de base concernant les rapports de l'homme et de son environnement, comme ceux de l'homme avec lui-même. Il y a plus de deux mille ans, Platon concluait déjà que la tâche la plus difficile consiste à se connaître soi-même. Cette vérité doit être continuellement redécouverte ; ses implications sont loin d'avoir été pleinement réalisées. Le problème de la connaissance de soi au niveau culturel semble en effet encore plus complexe qu'au niveau individuel. Cette difficulté ne devrait toutefois pas nous en faire méconnaître l'importance. Les Américains devraient être prêts à s'associer à une recherche collective à très vaste échelle qui concernerait l'interaction de l'homme et de son environnement.

Les spécialistes de la psychologie « transactionnelle » n'ont cessé de souligner *l'erreur qui consiste à croire que l'homme et son environnement sont des entités distinctes et qu'ils ne font pas partie intégrante d'un système d'interaction unique* [1].

Dans son article « Man and his Environment » publié dans *The Urban Condition*, Ian McHarg exprime le même point de vue : « Aucune espèce ne peut vivre sans environnement qui ne soit sa création exclusive, aucune espèce ne peut survivre sinon en tant que membre intégré d'une communauté écologique. S'il veut survivre, chacun des membres de la communauté doit s'adapter aux autres ainsi qu'à

1. Cf. Kilpatrick, *Explorations in Transactional Psychology.*

l'environnement. L'homme n'échappe pas à ces conditions. »

Pour les Américains, il ne s'agit pas seulement d'être disposés à entreprendre l'effort financier nécessaire pour mener à bien pareil projet. C'est d'un véritable changement de mentalité dont ils ont besoin, difficile à définir, mais tel, par exemple, qu'il leur fasse retrouver l'esprit d'aventure et de passion qui fut celui des pionniers. Car nous sommes aujourd'hui confrontés avec un immense territoire urbain et culturel qui nous pose le problème de son défrichement. Nous payons cher un passé d'anti-intellectualisme, car la conquête du territoire dont nous devons maintenant devenir les pionniers exige plus de réflexion que de force physique. Il nous faut à la fois des idées et de la passion et nous les découvrirons chez les hommes plutôt que dans les objets, à travers les structures plutôt que dans leurs contenus, dans la profondeur des contacts humains plutôt que dans le détachement.

Il appartiendra aux anthropologues et psychologues de mettre au point des méthodes simples permettant de mesurer l'intensité des rapports humains chez les différents groupes. Puisque aussi bien il est reconnu que les membres de certains groupes tels les Grecs et les Italiens entretiennent des rapports sensoriels beaucoup plus intenses que les Allemands ou les Scandinaves. Une planification intelligente exigerait de pouvoir chiffrer cette intensité. Il deviendrait alors possible de donner des réponses à un certain nombre de questions fondamentales concernant les points suivants : densité maximale, optimale ou minimale pour les différents groupes ruraux, urbains ou de transition ; dimension maximale pouvant être assumée par les différents groupes vivant en milieu urbain en deçà du seuil de rupture des systèmes de contrôle social ; typologie des petites communautés ; nature de leurs rapports mutuels ; leur mode d'intégration dans les groupes plus importants. En d'autres termes il deviendrait possible de chercher à connaître le nombre des différents biotopes urbains, de tenter de les classer et enfin on pourrait envisager un usage thérapeutique de l'espace dans le traitement des différentes affections sociales.

En un mot, ce livre a pour objet de montrer qu'en dépit de tous ses efforts l'homme ne peut échapper à l'emprise de sa propre culture, qui atteint jusqu'aux racines mêmes de son système nerveux et façonne sa perception du monde. La culture est en majeure partie une réalité cachée qui échappe à notre contrôle et constitue la trame de l'existence humaine. Et même lorsque des pans de culture affleurent à la conscience, il est difficile de les modifier, non seulement parce qu'ils sont intimement intégrés à l'expérience individuelle, mais surtout *parce qu'il nous est impossible d'avoir un comportement signifiant sans passer par la médiation de la culture.*

L'homme et ses extensions ne constituent qu'un seul et même système. C'est une erreur monumentale de traiter l'homme à part comme s'il constituait une réalité distincte de sa demeure, de ses villes, de sa technologie ou de son langage. Cette interdépendance de l'homme et de ses extensions devrait nous faire accorder plus d'attention à celles que nous créons non seulement dans notre propre intérêt, mais aussi pour ceux auxquels elles risquent de n'être pas adaptées. Le rapport de l'homme avec ses extensions ne représente qu'un mode particulier et une forme spécialisée du rapport général des organismes avec leur environnement. Mais lorsqu'un organe ou une fonction reçoivent une extension, le processus évolutif s'en trouve tellement accéléré que celle-ci peut être amenée à remplacer ceux-là. C'est ce que nous constatons dans le cas de nos villes dans le développement de l'automation. Norbert Wiener y faisait allusion quand il prévoyait les dangers de l'ordinateur qui est une extension spécialisée du cerveau humain. Dans la mesure où nos extensions sont privées de sensation et surtout aussi de parole, il est nécessaire de leur intégrer des systèmes de *feedback* [1]

1. Système de rétroaction, de contrôle de l'impulsion par la réponse. Le terme fait partie du lexique scientifique international. Il a d'abord surtout été utilisé en cybernétique ; il est employé très généralement, tant en biologie qu'en électronique et en mécanique (*N.d.T.*).

(recherche) de façon à demeurer informés de ce qui se passe en particulier dans le cas des extensions qui modèlent le milieu naturel ou s'y substituent. Ce *feedback* doit être renforcé aussi bien dans le cas de nos villes que dans celui des relations interculturelles.

La crise ethnique, la crise urbaine et la crise du système éducatif sont liées. Dans une perspective globale on peut les considérer comme les différentes facettes d'une crise plus vaste résultant du fait que l'homme a créé pour son propre usage une dimension nouvelle — *la dimension culturelle* — dont la plus grande part demeure invisible. Et en définitive, la question se pose de savoir combien de temps l'homme pourra continuer d'ignorer sa dimension propre.

Appendice

Résumé des treize types de perspective de James Gibson

The Perception of the Visual World

Au début de son livre, Gibson indique qu'il ne saurait y avoir de perception possible de l'espace sans la présence d'une surface *continue* jouant le rôle de fond. Comme les psychologues spécialisés dans les rapports inter-individuels, il observe également que la perception dépend soit de la mémoire, soit des excitations antérieures. C'est-à-dire qu'elle possède un passé qui est à la base de la localisation dans le temps et l'espace. Il distingue treize types de « mécanismes perceptifs sensoriels », c'est-à-dire d'impressions visuelles, accompagnant la perception de la profondeur sur une surface continue et de la « profondeur par le contour ». Ces combinaisons sensorielles et ces divers types de perspective sont aussi comparables aux grandes classes de phonèmes contrastés que nous appelons les voyelles et les consonnes. Ils constituent les catégories structurelles fondamentales de l'expérience à l'intérieur desquelles s'insèrent les variétés plus spécifiques de l'activité visuelle. En d'autres termes, toute scène perçue contient une *information* qui est construite à partir d'une série d'éléments différents. Gibson s'est attaché à analyser et à décrire le système et les éléments constitués par les *stimuli variables*, qui se combinent pour fournir l'information dont l'homme a besoin pour pouvoir se déplacer avec efficacité et pour accomplir sur la surface du globe tout ce qu'implique le mouvement. L'important est que Gibson nous ait livré un système complet et pas seulement les éléments isolés d'un système. Gibson divise les types de perspective et de combinaisons sensorielles en quatre classes : perspective de position, perspective de parallaxe, perspective indépendante de la position ou du mouvement, profondeur liée au contour.

Pour le lecteur, beaucoup de ces catégories paraîtront familières. Leur importance et leur signification apparaissent au travers du talent et de la passion investis par les peintres dans leur recherche pour les découvrir et les exprimer : ce que Spengler reconnaît en faisant de la sensibilité à l'espace le symbole majeur de la culture occidentale. Des écrivains comme Joseph Conrad qui voulait littéralement faire voir au lecteur ce qu'il avait vu lui-même, ou Melville qui était obsédé par le problème de la communication, ont construit toute leur imagerie visuelle selon les modalités décrites ci-dessous.

A. PERSPECTIVES DE POSITION

1. Perspective de la texture : Il s'agit de la densité croissante de la texture des surfaces, à mesure qu'on s'en éloigne.

2. Perspective de la dimension : A mesure que les objets s'éloignent, leur taille diminue. (Cette forme de perspective ne semble pas avoir été pleinement admise par les peintres italiens du XIIᵉ siècle dans le cas des personnages.)

3. Perspective linéaire : C'est sans doute le type de perspective le plus répandu dans le monde occidental. L'art de la Renaissance est connu pour son intégration des lois dites de la perspective. Des lignes parallèles qui telles des rails de chemin de fer ou des voies d'autoroutes se rejoignent à l'horizon, en un point de fuite unique, illustrent ce genre de perspective.

B. PERSPECTIVES DE PARALLAXE

4. Perspective binoculaire : La perspective binoculaire fonctionne en grande partie de façon inconsciente. Elle peut être perçue en raison de l'autonomie de chaque œil qui projette une image différente. Cette différence est beaucoup plus sensible à faible qu'à grande distance. En ouvrant et fermant alternativement les deux yeux, la différence entre les images projetées devient manifeste.

5. Perspective du mouvement : Lorsqu'on se déplace en direction d'un objet immobile, plus on en approche, plus celui-ci semble se mouvoir avec rapidité. De même des objets qui se déplacent à une vitesse constante semblent se mouvoir plus lentement au fur et à mesure que la distance augmente.

C. PERSPECTIVES INDÉPENDANTES DE LA POSITION
OU DU DÉPLACEMENT DE L'OBSERVATEUR

6. Perspective aérienne : Les fermiers de l'Ouest des Etats-Unis avaient coutume de se distraire aux dépens des touristes qui ne sont pas habitués aux différences locales dans la « perspective aérienne ». Nombre de ces innocents étaient pris au piège : se réveillant par un beau matin, frais et dispos, et apercevant par la fenêtre une colline en apparence toute proche, ils s'apprêtaient à faire l'aller et retour avant le petit déjeuner. D'aucuns se laissaient dissuader de l'entreprise, mais d'autres se mettaient en route pour découvrir au bout d'une demi-heure de marche que la colline s'était à peine rapprochée. En fait, la « colline » était une montagne distante d'au moins 5 à 11 kilomètres et dont les dimensions étaient réduites par une forme inhabituelle de perspective aérienne. L'extrême limpidité — due à la sécheresse — de l'atmosphère à haute altitude modifie la perspective aérienne et donne l'impression que tout est beaucoup plus proche que dans la réalité. On peut en déduire que la perspective aérienne dépend des brumes qui chargent l'atmosphère et de ses *changements de couleurs*. Elle informe donc de la distance mais sans la fidélité et la constance de certaines autres formes de perspective.

7. *Perspective brouillée :* Ce sont surtout les photographes et les peintres qui y sont sensibles. Cette forme de perception visuelle de l'espace apparaît lorsqu'on se concentre sur un objet très proche du visage, de telle sorte que le fond du champ optique soit brouillé. Tous les objets situés au-delà du point de localisation visuelle sont alors perçus d'une manière beaucoup moins distincte.

8. *Élévation relative des objets dans le champ visuel :* Sur le pont d'un bateau et dans les plaines du Kansas ou de l'est du Colorado, l'horizon apparaît comme une ligne située à peu près à hauteur des yeux. Tout se passe comme si la surface de la terre s'élevait des pieds à la hauteur du regard de l'observateur. Plus on se trouve loin du sol, plus cet effet est prononcé. Dans la vie quotidienne, *on baisse la tête* pour regarder les objets proches et *on la lève* pour percevoir les objets éloignés.

9. *Altération de la texture ou rupture de la distance linéaire :* Si l'on regarde une vallée du haut d'une falaise, elle semble plus lointaine qu'elle ne l'est en réalité, en raison de la brusque solution de continuité linéaire ou de l'intensification rapide de la densité de la texture. Bien que de longues années me séparent maintenant du jour où je vis pour la première fois une certaine vallée de Suisse, je me rappelle distinctement l'étrange sensation qu'elle produisit sur moi. Du haut d'une corniche herbue, je contemplais les rues et les maisons d'un village situé 450 mètres plus bas. Les brins d'herbe se détachaient très nettement dans le champ de ma vision, et chacun d'eux avait la taille d'une des petites maisons du village.

10. *Modifications dans la proportion d'images doubles :* Quand on fixe un point éloigné, tout ce qui se trouve placé entre ce point et l'observateur paraît double. L'intensité du dédoublement est fonction inverse de la distance qui sépare l'observateur de l'objet observé. La gradation dans

le changement est un indicateur de distance. Une modification rapide indique la proximité alors qu'une altération lente indique l'éloignement.

11. Modification dans la vitesse de déplacement : Un des moyens les plus sûrs de percevoir la profondeur consiste à observer le déplacement différentiel des objets dans le champ visuel. Les objets rapprochés se meuvent bien plus que les objets éloignés et à une vitesse plus grande [1]. Si deux objets semblent se recouvrir et ne paraissent pas se déplacer l'un par rapport à l'autre à mesure que l'observateur change de position, on peut en conclure soit qu'ils sont situés sur le même plan, soit qu'ils sont si éloignés que leur déplacement n'est plus perceptible. Les spectateurs de télévision sont accoutumés à cette forme de perspective parce qu'elle est très marquée chaque fois que la caméra se déplace dans l'espace à la manière d'un observateur en mouvement.

12. Intégralité et continuité des contours : Pendant la guerre, on s'est beaucoup servi d'une forme de perception de la profondeur appelée « continuité de contour ». Ainsi le camouflage est trompeur parce qu'il interrompt cette continuité. Même sans changement de texture, sans altération du doublement de l'image ou modification de la vitesse de déplacement de l'observation, la manière dont un objet peut en oblitérer (éclipser) un autre, détermine celui des deux qui semblera se trouver derrière l'autre. Par exemple, si le *contour* de l'objet le plus proche n'est pas brisé et si celui des objets oblitérés est brisé dans le procès de son éclipsement, le premier objet apparaîtra comme s'il était placé derrière les autres.

13. Transitions entre la lumière et l'ombre : De même qu'une brusque altération dans la texture d'un objet situé dans le champ visuel signale la présence d'une falaise ou d'une arête, une modification brutale de la « luminosité » sera interprétée comme une arête. Les transitions graduelles dans la luminosité constituent le principal moyen permettant de percevoir le détail du volume ou la circularité.

1. Cf. § 5 *supra*.

Postface

La Dimension cachée *est un livre de pionnier. Cette voca-
tion est attestée par la présence dans son introduction des
deux noms les mieux susceptibles de symboliser l'émergence
d'un nouvel espace et la prise de conscience qui lui est dialec-
tiquement liée. Buckminster Fuller et Marshall McLuhan
apparaîtront sans doute un jour comme les deux esprits[1]
ayant le plus décisivement contribué à la rupture — pas
encore aujourd'hui consommée — avec les notions d'architecture et de ville. Ils sont, l'un surtout à travers sa pratique
de technicien, l'autre surtout dans ses théories d'historien, les
promoteurs du concept d'environnement global qui marque
la coupure avec les idéologies du vieil urbanisme et s'insère
dans une constellation épistémologique nouvelle.*

*L'un et l'autre ont contribué à dénoncer la fausse scienti-
ficité et la fausse universalité du mouvement fonctionnaliste[2]*

1. Point de vue récemment confirmé par Peter Cook qui, dans
Experimental Architecture (Studio Vista, Londres, 1970) les situe
explicitement à l'origine de sa propre tentative pour « faire exploser »
la notion d'architecture et concevoir la ville en termes de système
de relations.
2. Et d'autant mieux qu'ils ne le prenaient pas nommément à
partie.

enlisé dans l'esthétisme, mais surtout dans des comportements et des concepts relevant du savoir et du savoir-faire du XIXe siècle. Tout à l'opposé, ils se sont donné pour tâche de régler ou de faire régler la structure du nouvel espace construit sur les modes de pensée et les techniques qui ont transformé notre rapport au monde. Pour eux, cet espace intègre, non seulement les nouvelles techniques de construction étrangères aux architectes, mais les nouvelles techniques de transport et de télécommunications fondées sur l'électronique et l'informatique. (McLuhan fut le premier à comprendre que la diffusion des media allait radicalement transformer notre rapport à l'espace, mais sans toutefois noter que leur retentissement sur les structures de la ville était d'autant plus logique que ces media assumaient désormais la fonction informatrice détenue à l'origine par la ville [1].) Bref, on résumerait assez bien l'œuvre de Fuller et de McLuhan en disant qu'ils ont tenté de réaccorder deux synchronies décalées depuis des siècles, celle du savoir et celle de la pratique urbaine (sans parler du savoir de cette pratique).

La contribution de E.T. Hall à la théorie et à la pratique de l'environnement humain ne se situe pas sur l'horizon des techniques de pointe. Rien de moins futuriste que sa vision de la ville. Elle semblerait même, à la limite, conservatrice, dans sa défense et illustration des traditions non formulées et des particularismes culturels en matière d'organisation de l'espace. Si Hall participe néanmoins, lui aussi, au dépassement du fonctionnalisme et à l'émergence d'une vision nouvelle, c'est par l'intégration d'un tout autre champ du savoir et du comportement. On tentera de définir son apport aux trois niveaux de l'information, de la pratique, et de la théorie.

Au niveau de l'information, il donne à l'aménagement de l'espace, deux dimensions ignorées par la pensée urbanis-

---

1. Thèse que nous avons développée dans « Sémiologie et urbanisme », *l'Architecture d'aujourd'hui*, Paris, juin-juillet 1967 et dans *City Planning in the XIXth Century*, Braziller, New York, 1969.

tique en général et l'urbanisme progressiste en particulier. D'une part, il réintègre les conduites spatiales des hommes dans la catégorie globale du comportement animal, et annexe les concepts de territoire, de distances critiques, de stress.

D'autre part, il montre le rôle de la culture dans la construction de l'espace et fait apparaître la diversité des normes selon les cultures, non seulement en matière de Lebensraum [1] mais dans les modalités d'organisation et de remplissage de l'espace. En utilisant ainsi les données de la biologie et de l'anthropologie, il démolit la prétention scientiste et universaliste de la tradition d'aménagement de l'espace issue de Fourier et reprise sans critique par Gropius, Le Corbusier et leurs disciples.

Les principes « universels » de la charte d'Athènes sont donc mis en question et, par là même, au niveau pratique, toute l'œuvre entreprise en leur nom : en particulier dans le cas des pays en voie de développement.

La Dimension cachée révèle le caractère traumatisant ou même létal que présente l'application systématique des fameux critères élaborés par les CIAM [2] et propose de nouvelles méthodologies « relativistes ». Le livre de Hall recoupe ainsi les travaux plus arides et spécialisés, entrepris par Charles Abrams pour les minorités urbaines et microcultures des villes occidentales, et par John Turner pour les pays en voie d'urbanisation [3].

1. Un récent rapport du Commissariat au Plan *(Plan et Prospectives, le Logement,* Armand Colin, Paris, 1970) indique qu'en ce qui concerne le nombre de pièces disponibles par logement ou le nombre moyen de personnes par pièce, la France se classe loin derrière les Etats-Unis et, en Europe, derrière le Royaume uni et l'Allemagne ; son rang dans ce classement est rapporté essentiellement à des causes économiques. Cependant, il correspond rigoureusement aux résultats de l'analyse qualitative tirée par Hall de l'anthropologie comparée.

2. Congrès internationaux d'architecture moderne, fondés en 1928 et ayant élaboré la charte d'Athènes en 1933.

3. Cf. en particulier Ch. Abrams, *Squatter Settlements : The Problems and Opportunities* (Washington, décembre 1961), *Man's Struggle for Shelter in an Urbanizing World* (Cambridge, Mass., 1964) ; J. Turner, *Uncontrolled Urban Settlement* (Pittsburgh, Pennsylvania, 1966).

Mais c'est au niveau théorique et dans une perspective étrangère à sa démarche, demeurée pragmatique, qu'il est peut-être le plus intéressant de situer le travail de Hall. Il faut résister à la tentation de le rattacher au courant que nous avons appelé « culturaliste » et se garder de l'assimiler à une forme d'humanisme plus ou moins réactionnaire. Il faut plutôt le situer à l'intérieur d'un nouveau procès épistémologique, où il occupe une place complémentaire de celle conquise par Fuller, McLuhan, et ceux qui, tel le groupe Archigram, ont suivi leur direction. Ces derniers se sont donné pour tâche de régler l' « environnement global » sur le rythme et les structures des techniques de pointe, de l'accorder par conséquent à la chronologie rapide de l'histoire. Mais les historiens reconnaissent aujourd'hui la bipolarité de la temporalité humaine, et l'importance — à côté de la chronologie rapide — d'une histoire « lourde » à durée dilatée [1] qui implique de nouveaux découpages et se situe au niveau de mécanismes que la conscience ignore, qu'ils ressortissent à la biologie, à la psychanalyse, ou à l'anthropologie culturelle. Telle est la dimension où il faut loger Hall.

Reconnaître cette dimension n'implique pas pour autant qu'on refuse sa complémentaire. Au contraire : elle prend son sens plein sur l'horizon (idéal) d'une dénaturalisation complète de l'environnement humain et de la coïncidence des deux chronies. Mais le discours sur l'urbain ou l'environnement ne s'approprie pas la dimension de l'histoire lourde sans ambiguïtés, difficultés, résistances [2]. Les premières contributions de la psychanalyse — combien tardives si l'on songe à la date de naissance de cette discipline — ont été dues à Mitscherlich. Dans Die Unwirtlichkeit unsere Städte [3], *il mettait notamment en évidence l'existence de*

1. Concept dû à Fernand Braudel. Cf. en particulier *Leçon inaugurale au Collège de France* (1950), recueillie in *Écrits sur l'histoire*, Flammarion, Paris, 1969.
2. Cf. notre article « L'histoire et la méthode en urbanisme », in *Annales*, juillet-août 1970.
3. Suhrkamp, Frankfurt am Main, 1965 ; traduit en français sous le titre *Psychanalyse et Urbanisme*, Gallimard, Paris, 1970.

seuils de dénaturalisation et soulignait la nécessité, pour la construction (Bildung) de l'individu social, d'unités spatiales aux dimensions réduites et à forte structuration affective.

L'entreprise de Hall est, en ce qui concerne l'utilisation de la zoologie et de l'anthropologie, assez comparable à celle de Mitscherlich pour l'analyse. Toutefois, à l'encontre de ce dernier, il n'est ni un spécialiste ni un praticien des savoirs qu'il utilise ; ses conclusions sont tirées des travaux de Lorenz, Hediger, Tinbergen pour la zoologie, Boas, Sapir, Whorf pour l'anthropologie et la linguistique.

De même, le chapitre sur l'art et les témoignages qu'il apporte sur la construction de l'espace vécu, est étayé seulement sur deux ouvrages dont le dernier livre de S. Giedion, l'Eternel Présent [1]. Il ne s'agit là évidemment que d'exemples ayant valeur de suggestions, et le lecteur familiarisé avec l'esthétique et l'histoire de l'art verra sans peine le parti que l'on peut tirer des recherches entreprises, en particulier, par les membres de l'institut Warburg et ceux — tel Pierre Francastel — qu'elles ont inspirés.

Mais ces blancs sont bien ceux d'une œuvre pionnière, négligente du détail, forte de ses intuitions, préoccupée seulement de son objectif. Pour Hall, l'objectif immédiat, celui qu'une lecture première ne peut ignorer, était de donner l'alerte, de dénoncer (avant que ce ne fût devenu un thème électoral) l'ampleur du problème urbain aux Etats-Unis, et surtout d'en éclairer une des causes principales : la méconnaissance par les responsables — architectes, urbanistes, fonctionnaires — de la complexité, de la diversité et de la relativité des besoins en matière d'espace. La leçon vaut d'être méditée en France où, si les minorités ethniques étrangères sont moins importantes, les minorités urbaines d'origine rurale posent le même type de problème, et où les principes de la charte d'Athènes sont toujours à l'honneur

1. Bollingen Foundation, New York, 1964 ; traduit en français aux Editions de la Connaissance, Bruxelles, 1965 et 1966.

(comme en témoignent également de nombreuses réalisa-
tions françaises dans le tiers monde).

   Une lecture seconde ira plus loin et découvrira comment
la Dimension cachée peut contribuer à la théorie de l'amé-
nagement de l'espace : intégrant derrière la synchronie écla-
tante et accélérée du savoir, la synchronie secrète et lente
des grandes structures de la vie, de l'inconscient et des
cultures.

                                              FRANÇOISE CHOAY

Bibliographie et références

ALLEE Warder C. : *The Social Life of Animals*, Boston, Beacon Press, 1958.

AMES Adelbert : Voir KILPATRICK.

APPLEYARD Donald, LYNCH Kevin et MYER John R. : *The View from the Road*, Cambridge, The MIT Press and Harvard University Press, 1963.

ARIÈS Philippe : *L'Enfant et la vie familiale sous l'Ancien Régime*, Paris, Plon, 1960.

BAIN A.D. : « Dominance in the Great Tit, Parus Major », *Scottish Naturalist*, vol. 61, 1949, p. 369-472.

BAKER A., DAVIES R.L. et SIVADON P. : *Psychiatric Services and Architecture*, Genève, World Health Organisation, 1959.

BALINT Michael : « Friendly Expanses. Horrid Empty Spaces », *International Journal of Psychoanalysis*, 1945.

BARKER Roger G. et WRIGHT Herbert F. : *Midwest and Its Children*, Evanston, Row, Peterson & Company, 1954.

BARNES Robert D. : « Thermography of the Human Body », *Science*, vol. 140, 24 mai 1963, p. 870-877.

BATESON Gregory : « Minimal Requirements for a Theory of Schizophrenia », *AMA Archives General Psychiatry*, vol. 2, 1960, p. 477-491.

BATESON Gregory, JACKSON D.D., HALEY J. et WEAKLAND J.H. : « Towards a Theory of Schizophrenia », *Behavioral Science*, vol. 1, 1956, p. 251-264.

Pour une description des travaux de Bateson et une discussion de son concept de « double impasse », voir le chapitre de Don D. Jackson, « Interactional Psychotherapy », publié par Morris I. Stein in *Contemporary Psychotherapies*, New York, Free Press of Glencoe, 1961.

BENEDICT Ruth : *Chrysanthemum and the Sword*, Boston, Houghton Mifflin, 1946.

BERKELEY George : *A New Theory of Vision and Other Writings* (Everyman's Library Edition), New York, E.P. Dutton, 1922.

BIRDWHISTELL Raymond L. : *Introduction to Kinesics*, Louisville, University of Louisville, Press, 1952.

BLACK John W. : « The Effect of Room Characteristics upon Vocal Intensity and Rate », *Journal of Acoustical Society of America*, vol. 22, mars 1950, p. 174-176.

BLOOMFIELD Leonard : *Language*, New York, H. Holt & Company, 1933.

BOAS Franz : Introduction, *Handbook of American Indian Languages*, Bureau of American Ethnology, Bulletin 40, Washington, D.C., Smithsonian Institution, 1911.

— *The Mind of Primitive Man*, New York, The Macmillan Company, 1938.

BOGARDUS E.S. : *Social Distance*, Yellow Springs, Ohio, Antioch Press, 1959.

BONNER John T. : « How Slime Molds Communicate », *Scientific American*, vol. 209, n° 2, août 1963, p. 84-86.

BRODEY Warren : « Sound and Space », *Journal of the American Institute of Architects*, vol. 42, n° 1, juillet 1964, p. 58-60.

BRUNER Jerome : *The Process of Education*, Cambridge, Harvard University Press, 1959.

BUTLER Samuel : *The Way of all Flesh*, Garden City, N.Y., Doubleday & Company.

CALHOON S.W. et LUMLEY F.H. : « Memory Span for Words Presented Auditorially », *Journal of Applied Psychology*, vol. 18, 1934, p. 773-784.

CALHOUN John B. : « A "Behavioral Sink" », in Eugene L. BLISS, *Roots of Behavior*, New York, Harper & Brothers, 1962, chap. 22.

— « Population Density and Social Pathology », *Scientific American*, vol. 206, février 1962, p. 139-146.

— « The Study of Wild Animals under Controlled Conditions », *Annals of the New York Academy of Sciences*, vol. 51, 1950, p. 113-122.

CANTRIL Hadley : Voir KILPATRICK.

CARPENTER C.R.: « Territoriality : A Review of Concepts and Problems », in A. ROE & G.G. SIMPSON, *Behavior and Evolution*, New Haven, Yale University Press, 1958.

CARPENTER Edmund, VARLEY Frederick et FLAHERTY Robert: *Eskimo*, Toronto, University of Toronto Press, 1959.

CHOMBARD DE LAUWE Paul : *Famille et Habitation*, Paris, Editions du Centre national de la Recherche scientifique, 1959.

— « Le milieu social et l'étude sociologique des cas individuels », *Informations sociales*, Paris, vol. 2, 1959, p. 41-54.

CHRISTIAN John J.: « The Pathology of Overpopulation », *Military Medicine*, vol. 128, n° 7, juillet 1963, p. 571-603.

CHRISTIAN John J. et DAVIS David E.: « Social and Endocrine Factors Are Integrated in the Regulation of Growth of Mammalian Populations », *Science*, vol. 146, 18 décembre 1964, p. 1550-1660.

CHRISTIAN John J., FLYGER Vaugn et DAVIS David E.: « Phenomena Associated with Population Density », *Proceedings National Academy of Science*, vol. 47, 1961, p. 428-449.

— « Factors in Mass Mortality of a Herd of Sika Deer *(Cervus nippon)* », *Chesapeake Science*, vol. 1, n° 2, juin 1960, p. 79-95.

DEEVEY Edward S.: « The Hare and the Haruspex : A Cautionary Tale », *Yale Review*, 1960.

DE GRAZIA Sebastian : *Of Time, Work, and Leisure*, New York, Twentieth Century, 1962.

DELOS SECRETARIAT : « Report of the Second Symposion », Delos Secretariat, Athens Center of Ekistics, Athens, Greece (voir WATTERSON).

DORNER Alexander : *The Way Beyond Art*, New York, New York University Press, 1958.

DOXIADIS Constantinos A.: *Architecture in Transition*, New York, Oxford University Press, 1963.

EIBL-EIBESFELDT I.: « The Fighting Behavior of Animals », *Scientific American*, vol. 205, n° 6, décembre 1961, p. 112-122.

EINSTEIN Albert : Préface à *Concepts of Space*, Max JAMMER, New York, Harper Torch Books, 1960.

ERRINGTON Paul : *Muskrats and Marsh Management*, Harrisburg, Stackpole Company, 1961.

— *Of Men and Marshes*, New York, The Macmillan Company, 1957.

— « Factors Limiting Higher Vertebrate Populations », *Science*, vol. 124, 17 août 1956, p. 304-307.

— « The Great Horned Owl as an Indicator of Vulnerability in the Prey Populations », *Journal of Wild Life Management*, vol. 2, 1938.

FRANK Lawrence K.: « Tactile Communications », *ETC. A Review of General Semantics*, vol. 16, 1958, p. 31-97.

FRIED Marc: « Grieving for a Lost Home », in Leonard J. DUHL, *The Urban Condition*, New York, Basic Books, 1963.

FRIED Marc et GLEICHER Peggy: « Some Sources of Residential Satisfaction in an Urban Slum », *Journal of the American Institute of Planners*, vol. 27, 1961.

FULLER R. Buckminster: *Education Automation*, Carbondale, Southern Illinois University Press, 1963.
— *No More Secondhand God*, Carbondale, Southern Illinois University Press, 1963.
— *Ideas and Integrities*, Englewood Cliffs, N.J. Prentice-Hall, 1963.
— *The Unfinished Epic of Industrialisation*, Charlotte, Heritage Press, 1963.
— *Nine Chains to the Moon*, Carbondale, Southern Illinois University Press, 1963.

GANS Herbert: *The Urban Villagers*, Cambridge, The MIT Press and Harvard University Press, 1960.

GAYDOS H.F.: « Intersensory Transfer in the Discrimination of Form », *American Journal of Psychology*, vol. 69, 1956, p. 107-110.

GIBSON James J.: *The Perception of the Visual World*, Boston, Houghton Mifflin, 1950.
— « Observations on Active Touch », *Psychological Review*, vol. 69, n° 6, novembre 1962, p. 477-491.
— « Ecological Optics », *Vision Research*, vol. 1, 1961, p. 253-262. Printed in Great-Britain by Pergamon Press.
— « Pictures, Perspective and Perception », *Daedalus*, 1960.

GIEDION Siegfried: *The Eternal Present: The Beginnings of Architecture*, vol. II, New York, Bollingen Foundation, Pantheon Books, 1962.

GILLIARD E. Thomas: « Evolution of Bowerbirds », *Scientific American*, vol. 209, n° 2, août 1963, p. 38-46.
— « On the Breeding Behavior of the Cock-of-the-Rock (Aves, *Rupicola-rupicola*) », *Bulletin of the American Museum of Natural History*, vol. 124, 1962.

GLAZER Nathan et MOYNIHAN Daniel Patrick: *Beyond the Melting Pot*, Cambridge, The MIT Press and the Harvard University Press, 1963.

GOFFMAN Erving: *Behavior in Public Places*, New York, Free Press of Glencoe, 1963.
— *Encounters*, Indianapolis, Bobbs-Merrill, 1961.

— *The Presentation of Self in Everyday Life*, Garden City, New York, Doubleday & Company, 1959.

GOLDFINGER Erno : « The Elements of Enclosed Space », *Architectural Review*, janvier 1952, p. 5-9.

— « The Sensation of Space, Urbanism and Spatial Order », *Architectural Review*, novembre 1941, p. 129-131.

GROSSER Maurice : *The Painter's Eye*, New York, Rinehart & Company, 1951.

GRUEN Victor : *The Heart of Our Cities*, New York, Simon and Schuster, 1964.

GUTKIND E.H. : *The Twilight of Cities*, New York, Free Press of Glencoe, 1962.

HALL Edward T. : *The Silent Language*, Garden City, New York, Doubleday & Company, 1959.

— « Adumbration in Intercultural Communication », The Ethnography of Communication, Special Issue, *American Anthropologist*, vol. 66, n° 6, décembre 1964, p. 154-163.

— « Silent Assumptions in Social Communication », *Disorders of Communication*, vol. XLII (Rioch et Weinstein). Research Publications, Association for Research in Nervous and Mental Disease, Baltimore, Williams and Wilkins Company, 1964.

— « A System for the Notation of Proxemic Behavior », *American Anthropologist*, vol. 65, n° 5, octobre 1963, p. 1003-1026.

— « Proxemics. A Study of Man's Spatial Relationships », in I. GALDSTON, *Man's Image in Medicine and Anthropology*, New York, International Universities Press, 1963.

— « Quality in Architecture. An Anthropological View », *Journal of the American Institute of Architects*, juillet 1963.

— « The Madding Crowd », *Landscape*, 1962.

— « The Language of Space », *Landscape*, 1960.

HARTMAN Chester W. : « Social Values and Housing Orientations », *Journal of Social Issues*, janvier 1963.

HEDIGER H. : *Studies of the Psychology and Behavior of Captive Animals in Zoos and Circuses*, London, Butterworth & Company, 1955.

— *Wild Animals in Captivity*, London, Butterworth & Company, 1950.

— « The Evolution of Territorial Behavior », in S.L. WASHBURN, *Social Life of Early Man*, New York, Viking Fund Publication in Anthropology, n° 31, 1961.

HELD Richard et FREEDMAN S.P. : « Plasticity in Human Sensory Motor Control », *Science*, vol. 142, 25 octobre 1963, p. 455-462.

HESS Eckhard H. : « Pupil Size as Related to Interest Value of Visual Stimuli », *Science*, vol. 132, 1960, p. 349-350.

HINDE R.A. et TINBERGEN Niko : « The Comparative Study of Species. Specific Behavior » in A. ROE et G.G. SIMPSON, *Behavior and Evolution*, New Haven, Yale University Press, 1958.

HOCKETT Charles et ASHER Robert : « The Human Revolution », *Current Anthropology*, vol. 5, n° 3, juin 1964.

HOWARD H.E. : *Territory in Bird Life*, London, Murray, 1920.

HUGHES Richard : *A High Wind in Jamaïca*, New York, New American Library, 1961.

ITTELSON William H. : Voir KILPATRICK.

IZUMI K. : « An Analysis for the Design of Hospital Quarters for the Neuro-Psychiatric Patient », *Mental Hospitals* (Architectural Supplement), avril 1957.

JACOBS Jane : *The Death and Life of Great American Cities*, New York, Random House, 1961.

JOOS Martin : « The Five Clocks », *International Journal of American Linguistics*, avril 1962.

KAFKA Franz : *Le Procès*, Gallimard, 1948.

KAWABATA Yasunari : *Snow Country*, New York, Alfred A. Knopf, 1957.

KEENE Donald : *Living Japan*, Garden City, New York, Doubleday & Company, 1959.

KEPES Gyorgy : *The Language of Vision*, Chicago, Paul Theobald, 1944.

KILPATRICK F.P. : *Explorations in Transactional Psychology*, New York, New York University Press, 1961. Contient des articles de Adelbert AMES, Hadley CANTRIL, William ITTLESON, F.P. KILPATRICK, et d'autres psychologues transactionnels.

KLING Vincent : « Space : A Fundamental Concept in Design » in C. GOSHEN, *Psychiatric Architecture*, Washington, D.C., American Psychiatric Association, 1959.

KROEBER Alfred : *An Anthropologist Looks at History*, publié par Theodora Kroeber, Berkeley, University of California Press, 1963.

LA BARRE Weston : *The Human Animal*, Chicago, University of Chicago Press, 1954.

LANGER William L. : « The Black Death », *Scientific American*, vol. 210, n° 2, février 1964, p. 114-121.

LEONTIEV A.N. : « Problems of Mental Development », Moscou, U.R.S.S., RSFSR Académie des Sciences Pédagogiques, 1959 (*Psychological Abstracts*, vol. 36, p. 786).

LEWIN Kurt, LIPPIT Ronald et WHITE Ralph K.: « Patterns of Aggressive Behavior in Experimentally Created "Social Climates" », *Journal of Social Psychology*, SPSSI Bulletin, vol. 10, 1939, p. 271-299.

LISSMAN H.W.: « Electric Location by Fishes », *Scientific American*, vol. 208, n° 3, mars 1963, p. 50-59.

LONDON COUNTY COUNCIL: *Administrative County of London Development Plan. First Review*, 1960, London, The London County Council, 1960.

LORENZ Konrad: *L'Agression, une histoire naturelle du Mal*, Paris, Flammarion, 1969.
— *Tous les chiens, tous les chats*, Flammarion, Paris, 1970.
— *Il parlait avec les mammifères, les oiseaux, les poissons*, Flammarion, Paris, 1968.
— « The Role of Aggression in Group Formation », in SCHAFFNER, *Group Process*.

LYNCH Kevin: *The Image of the City*, Cambridge, The MIT Press and Harvard University Press, 1960.

MCBRIDE Glen: *A General Theory of Social Organisation and Behavior*, St. Lucia, Australia, University of Queensland Press, 1964.

MCCULLOCH Warren S.: « Teleological Mechanisms », *Annals of the New York Academy of Sciences*, vol. 50, art. 9, 1948.

MCCULLOCH Warren S. et PITTS Walter: « How we Know Universals, the Perception of Auditory and Visual Forms », *Bulletin of Mathematical Biophysics*, vol. 9, 1947, p. 127-147.

MCHARG Ian: « Man and his Environment », in Leonard J. DUHL, *The Urban Condition*, New York, Basic Books, 1963.

MCLUHAN Marshall: *Pour comprendre les Media*, Mame/Seuil, Paris, 1968.
— *La Galaxie Gutenberg*, Mame, Paris, 1967.

MATORÉ Georges: *L'Espace humain. L'Expression de l'espace dans la vie, la pensée et l'art contemporain*, Paris, Editions La Colombe, 1961.

MEAD Margaret et METRAUX Rhoda: *The Study of Culture at a Distance*, Chicago, University of Chicago Press, 1953.

MOHOLY-NAGY Laszlo: *The New Vision*, New York, Wittenborn, Schultz, 1949.

MONTAGU Ashley: *The Science of Man*, New York, Odyssey Press, 1964.

MOWAT Farley: *Never Cry Wolf*, Boston, Atlantic Monthly Press, Little, Brown, 1963.

MUMFORD Lewis : *La Cité dans l'Histoire*, Paris, Seuil, 1964.

NORTHRUP F.S.C. : *Philosophical Anthropology and Practical Politics*, New York, the Macmillan Company, 1960.

OSMOND Humphry : « The Relationship between Architect and Psychiatrist », in C. GOSHEN, *Psychiatric Architecture*, Washington, D.C., American Psychiatric Association, 1959.
— « The Historical and Sociological Development of Mental Hospitals », in C. GOSHEN, *Psychiatric Architecture*, Washington, D.C., American Psychiatric Association, 1959.
— « Function as the Basis of Psychiatric Ward Design », *Mental Hospitals* (Architectural Supplement), avril 1957, p. 23-29.

PARKES A.S. et BRUCE H.M. : « Olfactory Stimuli in Mammalian Reproduction », *Science*, vol. 134, 13 octobre 1961, p. 1049-1054.

PIAGET Jean et INHELDER Barbel : *La Représentation de l'espace chez l'enfant*, Paris, Presses universitaires de France.

PORTMANN Adolf : *Animal Camouflage*, Ann Arbor, University of Michigan Press, 1959.

RATCLIFFE H.L. et SNYDER Robert L. : « Patterns of Disease, Controlled Populations, and Experimental Design », *Circulation*, vol. XXVI, décembre 1962, p. 1352-1357.

REDFIELD Robert et SINGER Milton : « The Cultural Role of Cities », in Margaret PARK REDFIELD, *Human Nature and the Study of Society*, vol. I, Chicago, University of Chicago Press, 1962.

RICHARDSON John : « Braque », *Réalités*, août 1958, p. 24-31.

ROSENBLITH Walter A. : *Sensory Communication*, New York, the MIT Press and John Wiley & Sons, 1961.

SAINT-EXUPÉRY Antoine de : *Pilote de guerre*, Paris, Gallimard, 1942.
— *Vol de nuit*, Paris, Gallimard, 1931.

SAPIR Edward : *Selected Writings of Edward Sapir in Language, Culture and Personality*, Berkeley, University of California Press, 1949.
— « The Status of Linguistics as a Science », *Language*, vol. 5, 1929, p. 209-210.

SCHÄFER Wilhelm : *Der Kritische Raum und die Kritische Situation in der Tierischen Sozietät*, Frankfurt, Krämer, 1956.

SEARLES Harold : *The Non-Human Environment*, New York, International Universities Press, 1960.

SEBEOK T. : « Evolution of Signaling Behavior », *Behavioral Science*, juillet 1962, p. 430-442.

SELYE Hans : *The Stress of Life*, New York, McGraw Hill, 1956.

SHOEMAKER H. : « Social Hierarchy in Flocks of the Canary », *The Auk*, vol. 56, p. 381-406.

SINGER Milton : « The Social Organization of Indian Civilization », *Diogenes*, 1964.

SMITH Chloethiel W. : « Space », *Architectural Forum*, novembre 1948.

SMITH Kathleen et SINES Jacob O. : « Demonstration of Peculiar Odor in the Sweat of Schizophrenic Patients », *AMA Archives of General Psychiatry*, vol. 2, février 1960, p. 184-188.

SNOW Charles Percy : *The Two Cultures and the Scientific Revolution*, Cambridge, England, Cambridge University Press, 1959.

SNYDER Robert : « Evolution and Integration of Mechanisms that Regulate Population Growth », *National Academy of Sciences*, vol. 47, avril 1961, p. 449-455.

SOMMER Robert : « The Distance for Comfortable Conversation : A Further Study », *Sociometry*, vol. 25, 1962.
— « Leadership and Group Geography », *Sociometry*, vol. 24, 1961.
— « Studies in Personal Space », *Sociometry*, vol. 22, 1959.

SOMMER Robert et ROSS H. : « Social Interaction in a Geriatric Ward », *International Journal of Social Psychology*, vol. 4, 1958, p. 128-133.

SOMMER Robert et WHITNEY G. : « Design for Friendship », *Canadian Architect*, 1961.

SOUTHWICK Charles H. : « Peromiscus Leucopus : An Interesting Subject for Studies of Socially Induced Stress Responses », *Science*, vol. 143, janvier 1964, p. 55.

SPENGLER Oswald : *Le Déclin de l'Occident*, Paris, Gallimard, 1948.

THIEL Philip : « A Sequence-Experience Notation for Architectural and Urban Space », *Town Planning Review*, avril 1961, p. 33-52.

THOREAU Henry David : *Walden*, New York, The Macmillan Company, 1929.

Time Magazine : « No Place like Home », 31 juillet 1964, p. 11-18.

TINBERGEN Niko : *Curious Naturalists*, New York, Basic Books, 1958.
— « The Curious Behavior of the Stickleback », *Scientific American*, vol. 187, n° 6, décembre 1952, p. 22-26.

TRAGER George L. et BLOCH Bernard : *Outline of Linguistic Analysis*, Baltimore, Linguistic Society of America, 1942.

TRAGER George L. et SMITH Henry Lee, Jr. : *An Outline of English Structure*, Norman, Battenburg Press, 1951.

TWAIN Mark (Samuel L. Clemens) : « Captain Stormfield's Visit to Heaven », in Charles NEIDER, *The Complete Mark Twain*, New York, Bantam Books, 1958.

WARD Barbara : « The Menace of Urban Explosion », *The Listener*, vol. 70, n° 1807, 14 novembre 1963, p. 785-787, London, British Broadcasting Corporation.

WATTERSON Joseph : « Delos II, The Second Symposion to Explore the Problems of Human Settlements », *Journal of the American Institute of Architects*, mars 1965, p. 47-53.

WEAKLAND J.H. et JACKSON D.D. : « Patient and Therapist Observations of the Circumstances of a Schizophrenic Episode », *AMA Archives Neurology and Psychiatry*, vol. 79, 1958, p. 554-575.

WHITE Theodore H. : *La Victoire de Kennedy*, Paris, Robert Laffont, 1962.

WHITEHEAD Alfred North : *Adventures of Ideas*, New York, The Macmillan Company, 1933.

WHORF Benjamin Lee : *Language, Thought and Reality*, New York, The Technology Press and John Wiley & Sons, 1956.
— « Linguistic Factors in the Terminology of Hopi Architecture », *International Journal of American Linguistics*, vol. 19, n° 2, avril 1953.
— « Science and Linguistics », *The Technology Review*, vol. XLII, n° 6, avril 1940.

WIENER Norbert : *Cybernetics*, New York, John Wiley & Sons, 1948.
— « Some Moral and Technical Consequences of Automation », *Science*, vol. 131, 6 mai 1960, p. 1355-1359.

WYNNE-EDWARDS V.C. : *Animal Dispersion in Relation to Social Behavior*, New York, Hafner Publishing Company, 1962.
— « Self-Regulatory Systems in Populations of Animals », *Science*, vol. 147, mars 1965, p. 1543-1548.

ZUBEK John et WILGOSH L. : « Prolonged Immobilisation of the Body Changes in Performance and in Electroencephalograms », *Science*, vol. 140, avril 1963, p. 306-308.

Table

IMPRIMERIE AUBIN À LIGUGÉ (10-82)

D.L. 1er TR. 1978. No 4776-4 (L 14853)

Collection Points